FANTÔMES
ET
ESPRITS TERRESTRES

RECONNAÎTRE ET LIBÉRER LES ESPRITS
QUI SONT EMPRISONNÉS DANS NOTRE MONDE

Linda Williamson

Traduit de l'anglais par
Miville Boudreault

D0682292

Éditeur : François Doucet
Traduction : Miville Boudreault
Révision linguistique : Féminin pluriel
Correction d'épreuves : Nancy Coulombe, Carine Paradis
Conception de la couverture : Matthieu Fortin
Photo de la couverture : © Thinkstock
Mise en pages : Sébastien Michaud
ISBN papier 978-2-89667-508-1
ISBN PDF numérique 978-2-89683-289-7
ISBN Epub 978-2-89683-288-0
Première impression : 2012
Dépôt légal : 2012
Bibliothèque et Archives nationales du Québec
Bibliothèque Nationale du Canada

Éditions AdA Inc.
1385, boul. Lionel-Boulet
Varennes, Québec, Canada, J3X 1P7
Téléphone : 450-929-0296
Télécopieur : 450-929-0220
www.ada-inc.com
info@ada-inc.com

Diffusion
Canada :   Éditions AdA Inc.
France :   D.G. Diffusion
                Z.I. des Bogues
                31750 Escalquens — France
                Téléphone : 05.61.00.09.99
Suisse :   Transat — 23.42.77.40
Belgique :   D.G. Diffusion — 05.61.00.09.99

Imprimé au Canada

Participation de la SODEC. ꓘODEC
Nous reconnaissons l'aide financière du gouvernement du Canada par l'entremise du Programme d'aide
au développement de l'industrie de l'édition (PADIÉ) pour nos activités d'édition.
Gouvernement du Québec — Programme de crédit d'impôt pour l'édition de livres — Gestion SODEC.

**Catalogage avant publication de Bibliothèque et Archives nationales du Québec et Bibliothèque
et Archives Canada**

Williamson, Linda

Fantômes et esprits terrestres : reconnaître et libérer les esprits qui sont emprisonnés dans notre monde
Traduction de: Ghosts and earthbound spirits.
ISBN 978-2-89667-508-1
1. Fantômes. 2. Esprits. 3. Spiritisme. I. Titre.

BF1471.W5414 2012   133.1   C2011-942437-1

FANTÔMES
ET
ESPRITS TERRESTRES

Table des matières

Remerciements

J'aimerais remercier toutes les personnes qui m'ont aidée à la rédaction de ce livre et qui ont accepté de partager leurs expériences. Un merci tout spécial aux personnes suivantes : Guy Lyon Playfair, Archibald Lawrie, Michael Evans, Philip Steff, Leslie Moul, Christine Holohan, Ian et Sharon Bradley, Lesley Garton, Veronica Ford-Keen et Ann Elton. Finalement, j'aimerais rendre hommage au regretté Eddie Burks, qui m'a appris beaucoup de choses sur les esprits terrestres et la façon de les libérer.

Note : Des noms fictifs ont été utilisés tout au long de ce livre pour protéger l'identité des personnes concernées.

Introduction

Il était tard un dimanche soir, lorsque le téléphone a sonné.

— On m'a dit que vous étiez médium, a dit une voix de femme à l'autre bout du fil.

— C'est exact.

— Il y a un fantôme dans ma maison, et j'aimerais que vous m'aidiez à m'en débarrasser.

Elle a prononcé ces mots sur un ton neutre, comme si elle appelait un plombier pour réparer un tuyau qui fuit.

— Expliquez-moi ce qui s'est passé, lui ai-je demandé.

— Je ne sais pas trop comment le décrire. En fait, je n'ai rien vu. C'est seulement une impression, comme si on m'épiait continuellement. Ça me donne la chair de poule. Il y aussi des odeurs et des bruits étranges... Pourriez-vous venir jeter un coup d'œil?

Comme elle vivait tout près, nous avons pris rendez-vous pour le lendemain. Elle habitait une maison en rangée de style victorien située dans une rue bordée de propriétés similaires. J'ai sonné à la porte. Marjorie, c'était son nom, m'a accueillie. C'était une femme de taille forte âgée de la cinquantaine qui ne semblait pas du genre à craindre les fantômes. Nous sommes allées dans son salon, qui était bien rangé et meublé sobrement. Malgré son attitude courtoise, il était évident que ma présence la rendait mal à l'aise.

— C'est la première fois que je rencontre une médium ou quelqu'un de semblable, a-t-elle avoué sur un ton quelque peu dédaigneux. Je ne crois pas aux fantômes, mais il se passe ici quelque chose qui donne froid dans le dos.

Cela m'amuse toujours d'entendre des gens affirmer ne pas croire aux fantômes et prétendre du même souffle que leur maison est hantée! En posant quelques questions à Marjorie, j'ai appris qu'elle venait d'emménager depuis quelques mois. Au début, tout semblait normal, puis peu à peu, elle a commencé à se sentir mal à l'aise, comme si quelqu'un la suivait. Elle a entendu des bruits de pas dans l'escalier et a senti une odeur de cigarette. Elle a essayé de ne pas tenir compte de ces incidents, mais quand les chaînes de télévision ont commencé à changer d'elles-mêmes, c'en était trop.

— Je suppose que vous pensez que je suis folle, a-t-elle demandé.

— Pas du tout, l'ai-je rassurée en ajoutant que des expériences du genre étaient très fréquentes.

— Alors, qu'est-ce que c'est? Un esprit malfaisant?

Je lui ai dit de ne pas avoir peur. Il ne semblait pas s'agir d'un esprit malfaisant, mais plutôt d'une pauvre âme perdue qui avait besoin d'aide. J'avais l'impression qu'il s'agissait d'un vieil homme qui avait vécu ici à l'époque victorienne. J'ai exposé ma théorie à Marjorie en ajoutant :

— Auriez-vous l'amabilité de me laisser seule quelques minutes ? J'aimerais m'asseoir ici et parler à cet homme.

— Lui parler ? a-t-elle répondu, l'air intrigué. Vous avez apporté votre matériel ?

C'était à mon tour d'être intriguée.

— Qu'entendez-vous par « matériel » ?

— Je ne sais pas. Des appareils pour détecter les fantômes ?

Elle avait sûrement vu le film *S.O.S Fantômes* ! Je lui ai expliqué que je n'avais besoin de rien. Je n'utilisais même pas d'eau bénite ni de crucifix, pas plus que je n'allais procéder à un exorcisme. J'allais tout simplement aider un esprit à retrouver son chemin.

— C'est tout ?

Elle m'a lancé un regard anxieux en quittant la pièce.

— Êtes-vous certaine que ça ira ?

— Bien sûr. Votre fantôme ne me fera pas de mal.

Une fois seule, j'ai fermé les yeux pour réciter une prière et faire appel à mes assistants spirituels, que j'appelle « mes guides », afin qu'ils me viennent en aide. Puis, j'ai tourné mon attention vers l'esprit. Même si je ne pouvais pas le voir, je sentais qu'il s'agissait d'un vieil homme frêle qui s'appuyait sur une canne. Il dégageait un sentiment de tristesse. Les guides m'ont expliqué qu'il avait vécu dans cette maison pendant plusieurs années et qu'à sa mort, il y était resté simplement parce qu'il ne savait pas où aller.

Je lui ai parlé avec amour et compassion. Il ne m'a pas répondu par des mots, mais j'ai senti qu'il avait capté mes pensées. Au bout de quelques minutes, un changement s'est produit. La tristesse a laissé place à un élan de joie et de soulagement. Je savais que les guides l'avaient pris sous leurs ailes. Ils le guidaient vers la lumière, c'est-à-dire qu'ils l'extirpaient des ténèbres de son état terrestre pour l'amener vers un monde spirituel où il serait réuni avec ceux qu'il aimait.

J'ai appelé Marjorie.

— C'est fait, ai-je simplement annoncé. Il est parti.

— C'est tout ?

Elle était sceptique.

— Aussi facile que ça ?

— Oui, aussi facile que ça.

Dans la grande majorité des cas, les esprits sont faciles à libérer, parce qu'ils sont heureux de partir.

Elle a inspecté nerveusement du regard le salon, puis elle est restée silencieuse pendant un moment, essayant de jauger l'atmosphère.

— Je dois admettre que l'ambiance semble différente, moins lourde.

— Vous n'aurez plus de problèmes, lui ai-je assuré.

Puis, je lui ai expliqué ce qui s'était passé.

Elle m'a écoutée, mais je sentais son scepticisme.

— Je vous suis très reconnaissante, mais…

— Mais ?

— Je me demande si j'ai bien fait de vous demander
de me débarrasser de lui. C'était excitant d'avoir un
fantôme. Il va me manquer.

Les fantômes et les esprits terrestres

J'ai pris congé de Marjorie en me disant que certaines
personnes ne seront jamais satisfaites. J'étais toutefois
heureuse d'avoir aidé une autre âme à entrer dans la
lumière. Ce n'était pas la première fois que j'avais
affaire à un cas de ce genre. Les gens font souvent
appel à moi pour se débarrasser des fantômes qui hantent leur propriété. Les fantômes ne sont pas l'apanage
des maisons abandonnées. On les trouve autant dans
les résidences modernes que dans les vieux châteaux
ou les nobles demeures. Et s'il vous arrivait d'en voir
un, il y a gros fort à parier qu'il sera vêtu d'un jeans
élimé et d'un t-shirt, plutôt que d'un long drap blanc !

La plupart des gens utilisent le mot « fantôme »
pour décrire les différents types d'entités spirituelles,
alors que selon moi, il existe une distinction claire

entre les fantômes et les esprits terrestres. J'y reviendrai plus en détail dans un chapitre ultérieur, mais pour le moment, laissez-moi vous expliquer brièvement cette différence.

Un fantôme n'est pas vraiment une personne. C'est une empreinte psychique laissée dans un lieu par une personne qui a vécu à cet endroit ou encore qui y est décédée d'une manière traumatisante. L'esprit de cette personne, son essence réelle, est passé dans une dimension supérieure. En revanche, un esprit terrestre est une vraie personne. Il s'agit de femmes et d'hommes décédés qui, après leur mort, ne vont pas là où ils devraient aller et restent prisonniers d'un lieu physique. Les esprits terrestres conservent la même personnalité que lorsqu'ils étaient vivants et ressentent des émotions humaines comme la douleur, la colère et la frustration. C'est pour ces raisons qu'il est si important de leur venir en aide.

Quand les gens disent qu'une maison est hantée, il s'agit habituellement d'un esprit terrestre. On peut aider ces esprits à se rendre là où ils auraient dû aller immédiatement après leur trépas. Pourquoi alors se sont-ils trouvés dans une telle situation?

Pourquoi certains esprits deviennent-ils des esprits terrestres ?

La mort n'est rien de plus qu'une transition entre ce monde et une dimension supérieure. Mon travail en tant que médium consiste à le démontrer et à prouver que les personnes décédées peuvent revenir sur terre et communiquer avec les personnes vivantes. Dans la majorité des cas, cette transition s'effectue facilement et en douceur. La personne mourante quitte son enveloppe charnelle et est accueillie par ses proches, qui la conduisent vers le monde spirituel, c'est-à-dire un lieu de lumière. Il y a cependant un petit pourcentage de personnes qui meurent sans avoir réussi à faire cette transition. Elles restent en arrière, perdues dans les ténèbres, qui sont une espèce de limbes. Elles deviennent des esprits terrestres, prisonniers du monde physique.

Diverses raisons expliquent ce phénomène. C'est souvent le résultat d'une mort violente. Dans d'autres cas, les personnes sont tellement attachées à leur maison et à leurs biens qu'elles refusent de s'en départir. Par ailleurs, certains esprits restent emprisonnés par culpabilité ou en raison d'une tâche inachevée. Je reviendrai plus en détail sur ces raisons et ainsi que sur d'autres un peu plus loin.

Les esprits terrestres sont dans un état de confusion mentale. Certains ne sont même pas conscients qu'ils sont physiquement morts, ce qui explique leur incapacité à partir. Ils ont besoin de l'aide d'un médium, pour se libérer. On parle alors d'une opération de libération ou de sauvetage. Je ne suis pas une chasseuse de fantômes — une expression que je déteste — ni une exorciste. Mon objectif n'est pas de chasser les esprits, mais de les aider doucement à entrer dans la lumière.

L'objectif de ce livre

Dans ce livre, je vais vous expliquer en quoi consiste mon travail. Je vous dirai comment je m'y prends pour libérer des esprits terrestres avec l'aide de mes guides et je dresserai un portrait de ce qu'est un esprit terrestre, prisonnier d'un endroit étrange et obscur situé entre deux mondes.

Il est possible que vous vous soyez procuré ce livre après avoir été témoin de perturbations psychiques dans votre maison. Vous vous êtes alors demandé si celle-ci était hantée, ce qui n'est pas toujours le cas. D'autres raisons peuvent expliquer les sensations d'étrangeté et de malaise ressenties dans une maison. Je vous montrerai comment reconnaître les signes propres à une maison hantée et je vous expliquerai ce qu'il faut faire. Vous pourrez alors utiliser vous-même ces techniques ou demander à un médium de le faire pour vous.

Certains esprits terrestres ne sont pas rattachés à un lieu, mais à une personne. En effet, il arrive que les esprits deviennent des esprits terrestres par refus de quitter la personne aimée. Cet amour devient alors le lien qui les retient dans le monde matériel et les empêche d'aller de l'avant. Si vous avez perdu un être cher et que vous avez l'impression que cette personne est encore près de vous, il est possible que cet esprit soit devenu un esprit terrestre. Toutefois, c'est habituellement par choix que ces êtres ne font pas la transition vers le monde spirituel, afin de passer encore un peu de temps avec les êtres chers. Je vous expliquerai comment déterminer si un esprit a besoin d'aide et, le cas échéant, quoi faire pour le libérer.

Qu'en est-il des esprits malfaisants ? De tels esprits existent, et j'ai eu maille à partir avec quelques-uns. Rassurez-vous, il y en a très peu. Même les prétendus esprits frappeurs, ces esprits destructeurs qui terrorisent les gens en faisant du vacarme et en faisant virevolter des objets, se révèlent souvent n'être que des esprits perdus et frustrés. Néanmoins, même des esprits terrestres en apparence inoffensifs peuvent avoir un impact négatif sur les êtres vivants. Les personnes sensibles sont particulièrement vulnérables aux sentiments de dépression, de peur ou d'anxiété que peuvent dégager ces esprits. Dans le chapitre qui porte sur la protection psychique, je vous montrerai comment vous prémunir contre ces influences.

Finalement, au bénéfice de ceux qui aimeraient apprendre à libérer des esprits, je vous expliquerai ce métier complexe, exigeant mais infiniment gratifiant.

Tout d'abord, je vais vous raconter ma propre histoire. Tout a commencé quand j'étais une enfant qui vivait dans une maison où les nuits étaient assez mouvementées.

1

Mon histoire

Nous savions tous que notre maison était hantée, mais mes parents, qui étaient des sceptiques par nature, avaient choisi de feindre l'ignorance. Une atmosphère lourde et déprimante régnait sur notre demeure. La nuit, on entendait des sons étranges, sans parler des bruits de pas qui semblaient provenir de pièces vides.

Un soir, en ouvrant la porte de ma chambre faiblement éclairée, ma mère a poussé un cri en apercevant à côté de mon lit une dame vêtue d'une longue robe noire. Le fantôme s'est retourné… et c'était moi. À l'époque (j'avais environ 18 ans), je venais d'acheter un costume victorien dans un magasin d'antiquités et j'étais en train de l'essayer quand ma mère est entrée. Je me suis excusée de lui avoir fait si peur, mais je soupçonnais qu'une autre raison pouvait expliquer sa frayeur. Peut-être que vêtue ainsi, je ressemblais à un fantôme qu'elle avait déjà aperçu, même si elle se refusait à l'admettre.

Pour ma part, je connaissais l'existence de ce fantôme depuis des années. Je l'avais surnommé « la dame grise » en raison du voile gris qui l'entourait. La plupart du temps, je ne le voyais pas réellement. C'était plutôt l'image qui se formait dans mon esprit quand je sentais sa présence, sauf à deux occasions où elle était apparue très nettement. C'était une vieille dame vêtue d'un manteau noir et coiffée d'un bonnet. J'avais accepté sa présence comme faisant partie de ma vie. Il faut dire que j'avais depuis longtemps l'habitude d'être entourée de fantômes.

J'avais trois ans quand nous avons emménagé dans cette maison. À l'époque, ma famille était composée de moi, de mes parents, de mon oncle Harry, qui était célibataire, et de ma grand-mère. En rétrospective, cette maison a été l'une des plus hantées parmi toutes celles que j'ai vues dans ma vie. Si j'avais été du genre à craindre le surnaturel, je pense que je serais sortie de l'enfance complètement démolie sur le plan nerveux. Les perturbations ont commencé dès le tout premier jour. Plusieurs fois par nuit, mes parents étaient réveillés par des bruits qui ressemblaient à du verre brisé. Craignant que des cambrioleurs ne soient entrés dans la maison, ils descendaient au rez-de-chaussée, pour finalement constater qu'il n'y avait rien d'anormal, à part le chien, qui se terrait dans un coin en tremblant.

Très jeune, je ne faisais pas grand cas de ces manifestations, mais en grandissant, ma conscience psychique s'est affûtée, et je suis devenue extrêmement
sensible à l'atmosphère régnant dans la maison. Je
n'en soufflais mot à personne, d'une part parce que
je ne savais trop comment expliquer ce que je ressentais, et d'autre part parce que je ne voulais pas qu'on
m'accuse de fabuler.

Ma grand-mère est morte quand j'avais sept ans.
Même si ma mère a essayé de m'expliquer que ma
grand-mère était allée rejoindre Jésus, je sentais qu'elle
était toujours dans la maison. D'ailleurs, elle est restée
à mes côtés pendant que je grandissais. Même si je ne
pouvais pas la voir, je sentais très nettement sa présence, et cela ne me dérangeait aucunement. Au
contraire, cette présence me réconfortait. Malgré mon
jeune âge, je savais qu'il y avait une différence entre
elle et un fantôme. Ma grand-mère était bienveillante
et aimante, comme elle l'avait été de son vivant. Je
pouvais sentir qu'elle me souriait. Parfois, elle me parlait, et j'entendais ses mots, non pas avec mes oreilles,
mais avec mon esprit. À l'inverse, la dame grise semblait distante, préoccupée, comme si elle était prisonnière de son propre univers mental et ignorait ce qui
se passait autour d'elle.

La dame grise n'était pas le seul fantôme. En
fait, j'avais souvent l'impression que la maison en était

pleine. J'avais aperçu une ou deux fois un homme grand et élancé qui était vêtu d'un complet de style victorien avec un col cassé. Il semblait appartenir à la même époque que la dame, et je me demandais s'il y avait un lien entre eux. Les deux semblaient tristes et solitaires, et j'éprouvais de la compassion pour eux.

Il y avait aussi des fantômes méchants, comme je les appelais. Je ne les ai pas tous aperçus, ce qui était peut-être préférable ainsi. J'avais l'impression que c'était eux, et non le couple victorien, qui étaient les vrais responsables des bruits et de l'atmosphère menaçante qui régnait dans certaines pièces. Je n'ai jamais découvert la raison de leur présence, mais d'instinct, je savais qu'un événement profondément désagréable s'était produit dans cette maison et qu'il en subsistait des traces. C'était peut-être une bonne chose qu'en raison de mon jeune âge et de mon ignorance de l'Au-delà, je n'aie pas cherché à en savoir davantage. Quoi qu'il en soit, je n'aurais été guère surprise d'apprendre qu'il y avait un cadavre dans le grenier.

Avec le temps, je suis devenue de plus en plus consciente de la présence des fantômes victoriens. Dès que je les sentais dans une pièce, j'essayais de leur parler. La vieille femme ne répondait jamais, mais j'avais l'impression d'avoir établi une espèce de lien mental avec l'homme. Même si je ne pouvais communiquer avec lui par des mots, je sentais qu'il appréciait mes pensées bienveillantes. Contrairement à la femme, il semblait conscient de ce qui se passait autour de lui. Un jour, alors que je faisais la lessive dans la cuisine, je l'avais aperçu pendant un bref moment en train de jeter un regard intrigué sur la laveuse automatique, comme s'il se demandait à quoi pouvait bien servir ce curieux engin. Une autre fois, à Noël, alors que je sentais très fortement sa présence, je lui avais demandé en pensée de me donner un signe qu'il pouvait m'entendre. Immédiatement, les décorations accrochées au-dessus du foyer s'étaient mises à bouger, sans qu'il y ait de courant d'air.

La planche Ouija

Comme je l'ai déjà expliqué, je souhaitais aider les fantômes victoriens qui ne m'avaient jamais effrayée, sauf une fois où j'avais vraiment eu peur. Et cela était de ma faute.

J'avais environ 15 ans, lorsqu'un jour, une de mes amies est arrivée à l'école avec une planche Ouija. Nous avions joué pendant la pause du midi, et comme nous recevions des «réponses» précises, j'avais eu envie de faire un essai à la maison.

Tard un soir, après avoir attendu que tout le monde soit couché, je m'étais installée dans ma chambre. J'avais bricolé une planche Ouija en traçant un grand cercle de lettres sur un morceau de carton. En appuyant légèrement mes doigts sur le verre à vin que j'avais placé à l'envers sur la planche de jeu, j'avais posé la traditionnelle question : « Y a-t-il quelqu'un ici ? »

Lentement, le verre avait commencé à bouger, sans que je le pousse, comme s'il était doté de sa propre volonté. Il a épelé les lettres A N N I. J'étais aux anges. Annie était le prénom de ma grand-mère.

« Est-ce toi, mamie ? », avais-je demandé.

Le verre s'était mis à bouger plus rapidement, mais ce n'était qu'une suite de lettres pêle-mêle. Je sentais une énergie qui allait en s'accroissant, mais ce n'était pas une sensation agréable. J'avais l'impression que quelque chose essayait de s'emparer de moi et je savais que ce n'était pas grand-mère. Jamais elle n'aurait cherché à m'effrayer de la sorte. Le verre virevoltait de plus en plus vite. Puis, brusquement, il était tombé en bas de la table, pour se fracasser en mille morceaux contre un pied de ma chaise.

J'étais terrifiée. Mon cœur battait à tout rompre. Ma chambre était devenue glaciale. Comment j'allais expliquer les morceaux de verre brisé était le dernier de mes soucis. Cette chose qui était entrée dans ma chambre était mal intentionnée. J'avais prié comme jamais je ne l'avais fait auparavant en répétant le Notre Père plusieurs fois.

Graduellement, l'énergie s'était dissipée, et ma chambre était revenue à la normale. Après avoir poussé un soupir de soulagement, je m'étais mise au lit, mais sans être capable de fermer l'œil de la nuit.

J'ignorais à quel point une planche d'Ouija pouvait être dangereuse. Un esprit malicieux ou malveillant peut s'en servir pour entrer dans notre monde sous une fausse identité en prétendant être une personne que l'utilisateur de la planche connaît. Ce jour-là, j'ai décidé de ne plus jamais toucher à une planche d'Ouija. J'ai également pris la résolution de ne jamais me mettre au lit sans avoir récité mes prières.

Devenir médium

Même si ma famille n'était pas croyante, j'avais compris d'instinct qu'il y avait une vie après la mort. Pour moi, il était normal qu'après son décès, ma grand-mère soit encore parmi nous. À l'adolescence, je suis devenue plus consciente du monde invisible. Je ne me sentais jamais seule. À part les fantômes que j'entrevoyais de temps à autre, je n'ai jamais vu personne. Je captais seulement leur présence, comme une conviction profonde que je n'étais pas seule. Souvent, j'entendais des voix dans ma tête. J'évitais d'en parler aux membres de ma famille, parce que je savais qu'ils ne comprendraient pas. Je n'avais personne à qui le dire.

Peu à peu, j'ai commencé à avoir des doutes à propos de ces voix. Je me demandais si cela n'était pas le fruit de mon imagination. Toutefois, elles me révélaient des choses qui étaient à la veille de se produire et que je ne pouvais savoir autrement. Même si c'était

des choses sans importance, ces prédictions me prou-
vaient que je ne rêvais pas. J'ai cherché à en savoir plus
long. Je suis allée à la bibliothèque pour emprunter
tous les livres traitant des phénomènes surnaturels.
C'est alors que j'ai découvert le spiritualisme et que j'ai
compris que j'étais née pour être un médium. Sans le
dire à personne, j'ai commencé à fréquenter occasion-
nellement les églises spiritualistes. Puis, au début de la
vingtaine, je me suis mariée et j'ai quitté le foyer de
mon enfance.

J'ai alors adhéré à une église spiritualiste dont je
suis devenue une adepte enthousiaste. J'étais comblée
de pouvoir enfin dire que je parlais aux morts, sans
passer pour une folle. Cette église m'a aidée à comprendre les fantômes en m'expliquant comment
ils pouvaient rester prisonniers de la maison où ils
avaient vécu. Quelle triste existence cela devait être !

À l'époque, mon mari et moi vivions dans le nord
de l'Angleterre, mais nous nous rendions souvent à
Londres pour visiter mes parents. Chaque fois que
je me retrouvais dans la maison de mon enfance, je
demandais à mes guides, dont j'avais découvert l'existence depuis peu, de m'aider à mener les pauvres
esprits terrestres vers la lumière. Cela a semblé fonc-
tionner parce que peu à peu, j'ai commencé à sentir de
moins en moins leur présence. J'ai prié pour eux en
espérant qu'ils puissent enfin accéder à un monde
meilleur.

MON HISTOIRE

La maison où je vivais avec mon mari n'était pas hantée, même si c'était une maison victorienne. Ne jamais sentir de présence invisible quand j'entrais dans une pièce était quelque chose de nouveau pour moi. Il n'y avait qu'un fantôme, et c'était celui d'un chat. Je l'ai vu plusieurs fois ; parfois, l'image était si nette que je n'aurais eu qu'à me pencher pour le toucher, même si je n'avais caressé que le vide. Je possédais deux chats et eux aussi voyaient ce fantôme. Souvent, je les surprenais en train de fixer un espace vide en feulant, le poil hérissé, comme le font les chats en présence d'un intrus.

C'est aussi à cette époque que mon père est décédé. Comme avec grand-mère, je le sentais à mes côtés. Puisque j'aimais beaucoup mon père, je voulais être absolument certaine que c'était vraiment lui, et non le fruit de mon imagination. J'ai utilisé le spiritualisme pour en avoir le cœur net, et mon vœu a été exaucé d'une merveilleuse façon. Je suis entrée plusieurs fois en communication avec mon père. Le moment le plus spectaculaire s'est produit un jour où un médium me l'a décrit en donnant son nom et en répétant les derniers mots qu'il avait prononcés avant de mourir. C'est alors que j'ai décidé d'exploiter mes propres dons pour devenir médium et apporter à d'autres le réconfort que j'avais moi-même reçu.

Au bout d'environ deux ans, nous sommes revenus à Londres. Encore une fois, j'ai adhéré à l'église

✧ 9 ✧

spiritualiste locale. J'ai commencé à exploiter mon don en participant à un «cercle de développement», c'est-à-dire un groupe où les médiums sont formés. Au bout d'un moment, je me suis sentie suffisamment en confiance pour participer à des célébrations dans d'autres églises spiritualistes et à offrir des consultations privées — appelées «séances» — chez moi.

Dans mes livres précédents, *Contacting the Spirit World* et *Finding the Spirit Within*, j'ai expliqué comment les esprits entrent en communication avec moi. En résumé, il s'agit d'une forme de télépathie. Mon esprit doit être sur la même longueur d'onde que ceux qui veulent entrer en contact avec moi, et vice versa. Un lien mental est alors établi. Je me concentre sur ce lien et j'utilise toute ma conscience psychique pour capter les impressions les plus nettes possibles au sujet de l'identité de ces esprits, de leur apparence et de ce qu'ils ont à dire. J'ai réservé une pièce dans ma maison pour faire des séances. Cette pièce est mon sanctuaire. J'y vais souvent pour prier et méditer.

Dans la grande majorité des cas, les esprits qui se manifestent lors de ces séances sont des parents ou des amis des participants. Il peut arriver qu'il s'agisse d'une personne décédée avant que le participant soit né et qui a conservé un intérêt envers sa famille terrestre. C'est l'amour qui fait revenir ces esprits. La distance qui sépare les deux mondes est infime, et ces esprits bienfaisants ne sont qu'à une pensée de nous. De temps à autre, je sens la présence d'esprits terrestres qui accompagnent les participants à mes séances. Habituellement, il s'agit de membres de la famille qui, pour une raison ou une autre, ne sont pas entrés dans la lumière. C'est à eux que j'essaie de venir en aide.

Mon travail se résume en grande partie à organiser des séances chez moi. Les clients me consultent pour différentes raisons. Évidemment, beaucoup viennent après la mort d'un proche. Tout comme j'ai cherché à le savoir avec mon père, ces personnes veulent avoir la preuve que l'être cher a survécu à la mort et qu'il est heureux dans l'Au-delà. D'autres sont à la recherche d'un guide spirituel ou veulent en savoir davantage sur les guides qui les accompagnent. D'autres encore viennent pour trouver des solutions à leurs problèmes. Certes, les esprits ne peuvent régler nos problèmes à notre place, mais ils peuvent néanmoins nous offrir de précieux conseils.

Guider les esprits vers l'Au-delà

Quand j'ai commencé à travailler comme médium, j'en savais très peu sur les opérations de libération ou de sauvetage. J'en avais entendu parler, mais cela ne m'attirait pas particulièrement. Les participants à mes séances me parlaient parfois de fantômes et de phénomènes psychiques, ou me disaient sentir la présence d'un esprit qui avait des problèmes ou qui avait besoin d'aide.

Un jour, une médium expérimentée qui avait libéré un grand nombre d'esprits m'a invitée à l'accompagner dans une maison où le fantôme d'un vieil homme avait été aperçu. J'ai vu cette femme parler doucement à cet esprit pour l'encourager à entrer dans la lumière. Le tout était fait avec tendresse et simplicité. Cet esprit était seul et triste, et j'ai ressenti sa joie d'être enfin guidé. J'ai alors compris clairement que j'étais destinée à faire ce travail et à aider les autres.

Les guides ont probablement capté mes pensées. Presque aussitôt, des gens qui étaient témoins de phénomènes surnaturels dans leur maison ont commencé à frapper à ma porte pour me demander de l'aide. J'ai été surprise de constater à quel point il y avait de maisons hantées et d'esprits terrestres. La très grande majorité d'entre eux étaient inoffensifs et n'avaient nullement l'intention d'effrayer ou de déranger quiconque. Cependant, ces esprits souffraient, et c'est pour cette raison que je me suis intéressée à eux, comme je me suis intéressée aux personnes dont les maisons étaient hantées : ces gens étaient souvent très effrayés, incapables d'expliquer ce qui se passait et ne sachant pas à qui demander de l'aide.

D'une certaine façon, ce travail de libération s'est imposé à moi. J'ai compris qu'on me confiait, à moi ainsi qu'aux autres médiums qui font un tel travail, une double mission : aider autant les vivants à régler leurs problèmes que les esprits confus et perdus.

Ce constat a marqué le début d'une nouvelle étape dans mon cheminement. J'ai rapidement compris à quel point la libération d'un esprit était une tâche complexe et qu'il m'en restait beaucoup à apprendre. Il n'existe pas d'explication simple de ce phénomène ni de méthode unique qui s'applique à tous les cas. Depuis, 20 années ont passé, et j'apprends toujours. Je ne prétends pas posséder toutes les réponses. Je veux simplement partager avec vous les expériences que j'ai vécues et les conclusions auxquelles j'en suis arrivée. Pour commencer, décrivons d'abord ce qu'est un fantôme et ce qui le différencie d'un esprit terrestre.

2

Les fantômes
et les esprits terrestres

Comme je le mentionnais précédemment, la plupart des gens utilisent le mot «fantôme» pour décrire toutes les entités spirituelles. De leur côté, les médiums utilisent deux mots, «fantôme» et «esprit». Ces deux mots n'ont pas la même signification. Ainsi, lors d'une séance, un médium parlera toujours des «esprits» qui cherchent à communiquer avec les vivants. Or, certains médiums qualifient de «fantômes» les esprits qui hantent une maison, alors que d'autres utilisent l'expression «esprits terrestres». Cette divergence crée une confusion. Après en avoir discuté avec beaucoup de médiums, j'en suis arrivée à la conclusion qu'il n'existait pas de définitions claires de ces mots. J'utilise donc mes propres définitions, que j'ai présentées en introduction à ce livre.

Permettez-moi de vous les rappeler. Les fantômes sont des empreintes psychiques de personnes qui ont vécu ou qui sont mortes dans un lieu en particulier. Quant aux esprits terrestres, il s'agit de femmes et d'hommes décédés qui éprouvent encore des sentiments humains. Il est parfois difficile de faire la distinction entre les deux.

Qu'est-ce qu'un fantôme ?

Lorsqu'une personne vit des émotions intenses comme la douleur, la souffrance ou la peur dans un lieu en particulier, il peut subsister des fragments de cette énergie. Ces fragments peuvent rester imprimés dans les briques et les pierres d'un édifice pendant des années, voire des siècles. Ces fragments d'énergie ne possèdent pas d'énergie qui leur soit propre et ne peuvent entrer en interaction avec le monde vivant. Ce sont des coquilles vides, semblables à des vêtements que l'on cesse de porter. L'esprit de cette personne, son essence véritable, est depuis longtemps passé dans l'Au-delà. Le fantôme est le fragment que cet esprit a laissé.

Les fantômes sont habituellement associés à des morts violentes ou traumatisantes pour la simple raison que les personnes décédées de cette manière ont probablement ressenti de la peur et de la souffrance. On confond souvent à tort ce type de fantômes avec des esprits terrestres.

Prenons le cas d'une maison où a eu lieu un assassinat, il y a peut-être de cela très longtemps. Une personne particulièrement sensible emménage dans cette demeure. Elle sent la présence de la victime et peut même la voir, extérieurement ou intérieurement. Elle en conclut que cette personne est un esprit terrestre qui hante la maison. C'est peut-être le cas, mais pas nécessairement, car il peut aussi s'agir d'un fantôme.

Tout ancien occupant d'un lieu où il a vécu une émotion intense peut laisser un fantôme. Cette émotion n'est pas nécessairement en lien avec son décès. Elle peut avoir été ressentie pendant une période dépressive ou une maladie douloureuse. Même une personne dotée d'une forte personnalité qui a vécu une vie heureuse peut laisser une empreinte; dans un tel cas, la maison semble habitée par une présence joyeuse.

De mon point de vue de médium, je ne considère pas les fantômes comme des «personnes», car ils sont unidimensionnels et ne possèdent aucune substance. C'est comme regarder des acteurs sur un écran de cinéma, et non de véritables individus en chair et en os. On ne peut pas leur parler, pas plus qu'on ne peut parler à un personnage dans un film, car ils ne peuvent pas répondre.

J'expliquerai un peu plus loin comment se débarrasser des fantômes. Cependant, à moins qu'ils n'inspirent la peur ou qu'ils ne perturbent les habitants d'une maison, il est préférable de ne pas tenir compte d'eux, parce qu'ils sont inoffensifs. Avec le temps, au fur et à mesure que leur énergie se disperse, ils s'effacent peu à peu, puis finissent pas disparaître.

Les apparitions récurrentes

Les esprits ont un comportement tout aussi imprévisible que celui des êtres vivants. Vous ne savez jamais où ils vont apparaître, car ils peuvent se déplacer d'un endroit à l'autre. Les fantômes se comportent davantage comme des automates. Ils apparaissent toujours au même endroit et font toujours la même chose. C'est pour cette raison qu'on utilise parfois l'expression « apparitions récurrentes ».

Le fantôme d'Anne Boleyn est un des cas les plus célèbres d'apparition récurrente. Deuxième épouse d'Henri VIII, elle a été emprisonnée dans la tour de Londres et exécutée en 1536 sous une fausse accusation d'adultère. Depuis, on prétend que son fantôme erre entre son palais, qui est l'endroit où elle a passé sa dernière nuit sur terre, et le lieu de son exécution dans l'enceinte de la tour. Comme le dit la vieille chanson, son fantôme se promène avec « sa tête sous son bras ». Au fil des ans, plusieurs sentinelles ont entendu des bruits de pas d'un fantôme sans tête qui s'approchait d'eux. En 1864, une sentinelle a même planté sa baïonnette à travers le spectre, qui a néanmoins continué à avancer. Sous le choc, l'homme s'est évanoui et a été traduit devant une cour martiale. Heureusement pour lui, étant donné le grand nombre de sentinelles qui avait affirmé avoir vu le même fantôme, il a été acquitté.

Je ne crois pas que l'esprit de cette reine est prisonnier à jamais de l'endroit où elle est morte. Tout laisse croire qu'elle est entrée depuis longtemps dans la lumière, laissant derrière elle ce pauvre fantôme pour témoigner de ses souffrances et de sa mort injuste.

Les reconstitutions

Des événements peuvent aussi laisser une empreinte spectrale à l'endroit où ils sont survenus, qu'il s'agisse d'un bâtiment ou d'un lieu naturel. Plus les émotions ressenties ont été intenses, plus l'empreinte sera prononcée et plus longtemps elle perdurera. C'est pour cette raison que les personnes sensibles ressentent souvent un malaise, lorsqu'elles visitent une prison, un donjon, un cimetière ou un champ de bataille. Elles peuvent même voir une reconstitution de l'événement ou en entendre les sons.

Une de mes amies qui vivait dans le village de Crondall, dans le Hampshire, m'a raconté un jour comment elle avait été témoin d'une telle reconstitution. Tard un soir, alors qu'elle roulait sur une route de campagne, elle a senti une présence invisible qui a traversé sa voiture. En regardant le champ qui bordait la route, elle a aperçu ce qui semblait être une procession de personnages vêtus d'habits médiévaux qui transportaient des torches. Cette scène l'a tellement déconcertée qu'elle s'est trompée de chemin et a dû faire un long détour pour rentrer chez elle. Elle a découvert par la suite que ce champ était un des lieux de sépulture des victimes de la peste noire, une terrible épidémie qui avait ravagé le pays en 1348.

Des reconstitutions se produisent également dans les champs de bataille. Un des plus célèbres est le site de la bataille de Gettysburg, où plus de 50 000 hommes ont péri. Des fantômes de soldats ont été vus à cet endroit, et des bruits de bataille ont été entendus. Des phénomènes similaires ont été rapportés à Culloden, en Écosse, où, en 1746, les Highlanders du prince Bonnie Charles ont été massacrés par les troupes du roi George II.

Un des cas les plus étonnants est la bataille d'Edgehill, où se sont affrontés Charles 1er et les parlementaires d'Oliver Cromwell. Plus de 1 000 hommes ont perdu la vie, lors de cet affrontement. Peu de temps après, les gens qui vivaient dans les environs ont déclaré avoir entendu le son des canons, le roulement des tambours et les gémissements des blessés. Des bataillons de soldats se livrant une bataille rangée fantomatique sont ensuite apparus dans le ciel nocturne.

La même reconstitution a réapparu le lendemain. Dans la foule qui s'était massée pour assister à la scène, certains ont reconnu des camarades morts parmi les fantômes. Le phénomène s'est reproduit à plusieurs reprises, s'estompant peu à peu. Encore récemment, de faibles échos ont été entendus.

Personne ne sait exactement comment surviennent ces reconstitutions. La meilleure explication que je peux donner est la suivante : une personne dotée d'une énergie psychique qui visite un lieu où s'est produit un événement dramatique ou tragique peut activer l'énergie résiduelle laissée par cet événement. Cette personne peut alors apercevoir une empreinte psychique. C'est comme si on appuyait sur un bouton invisible pour faire jouer un vieil enregistrement vidéo. Les protagonistes de ces reconstitutions sont des fantômes et comme tous les fantômes, ils finiront un jour par disparaître.

La cohabitation fantômes et esprits terrestres

Les fantômes et les esprits terrestres peuvent cohabiter au même endroit. Les champs de bataille sont de bons exemples, et il est possible de trouver parmi les fantômes des esprits prisonniers du traumatisme de leur mort. Si vous étiez médium et que vous vous promeniez sur un ancien champ de bataille — ce que je déconseille —, vous capteriez diverses sensations, et votre vision psychique vous permettrait peut-être de voir des images troublantes. Vous auriez cependant de la difficulté à distinguer les esprits terrestres des fantômes.

Le même principe s'applique alors aux lieux anciens comme une vieille demeure ou un château historique. L'atmosphère qui y règne s'est sédimentée au fil des siècles, couche par couche. Chaque génération a apporté sa contribution, des maîtres des lieux aux plus humbles de leurs serviteurs. Leurs joies et leurs peines, leurs peurs et leurs espoirs ont été psychiquement enregistrés. Toute personne sensible percevra «quelque chose» dans l'air qui lui donnera froid dans le dos.

C'est comme si des personnes invisibles continuaient à vivre dans ces demeures, mais dans une autre dimension. C'est d'ailleurs ce qui se produit d'une certaine façon. Il est probable qu'on y trouve autant de fantômes que d'esprits. Il peut s'agir d'anciens occupants qui, même s'ils ne sont pas des esprits terrestres, ont choisi de rester dans une maison dont ils étaient fiers et qui n'apprécient guère les hordes de touristes qui déambulent dans leurs appartements privés. Un médium appelé dans une telle maison devra faire preuve de patience, car il aura besoin de toute sa science pour faire le tri entre fantômes et esprits terrestres.

Les fantômes de la route

Une connaissance me racontait un jour comment elle avait fait une embardée en essayant d'éviter un camion qui, quelques secondes après, avait tout bonnement disparu! Malheureusement pour elle, cette explication n'avait guère convaincu sa compagnie d'assurance. Elle n'est pourtant pas la seule à avoir vécu une expérience de la sorte, car les témoignages abondent au sujet des fantômes routiers. Il peut s'agir de véhicules en tous genres — camions, automobiles et motocyclettes — qui sortent de nulle part et disparaissent aussitôt.

Les fantômes pédestres sont un autre phénomène fréquemment rapporté. Ces fantômes apparaissent habituellement la nuit sur une route déserte et se mettent en travers de la trajectoire d'un véhicule. La personne au volant, horrifiée, écrase les freins, convaincue qu'une collision est inévitable. Elle peut même ressentir un impact au moment où le véhicule renverse la victime. Pourtant, lorsqu'elle s'arrête, il n'y a personne.

Un phénomène plus moderne relié aux fantômes routiers est le fantôme auto-stoppeur. L'apparition se déroule souvent selon le scénario suivant. Un véhicule qui roule la nuit sur une route déserte s'arrête pour prendre à son bord un auto-stoppeur. Il s'agit habituellement d'une jeune femme. Même si cela peut sembler un peu étrange, compte tenu des circonstances, rien n'indique qu'il ne s'agit pas d'une personne en chair et en os. Après avoir roulé pendant un moment, le conducteur se rend compte que la jeune femme a disparu. Il apprend par la suite qu'une jeune femme a perdu la vie dans un accident au même endroit où il a aperçu l'auto-stoppeuse.

Un des cas les plus célèbres de fantôme auto-stoppeur est celui de « Marie ressuscitée ». D'après la légende, dans les années 1930, une jeune femme assistait à une soirée dansante dans une salle située dans une ville de l'Illinois, aux États-Unis. Après s'être disputée avec son petit ami, elle a décidé de rentrer seule chez elle. En chemin, elle a été renversée par une voiture et est morte sur le coup. Depuis, les signalements d'une femme vêtue d'une robe de soirée blanche se sont multipliés dans ce secteur. Des automobilistes se sont même arrêtés pour la faire monter à bord. La jeune femme leur disait alors qu'elle souhaitait se rendre au cimetière de la résurrection. Une fois parvenue à destination, elle avait disparu.

Il existe plusieurs variantes de cette même légende. Par exemple, de jeunes hommes ont prétendu avoir rencontré une étrange jeune femme lors d'une soirée dansante. L'un d'entre eux a même remarqué que sa peau semblait anormalement froide. Il lui a offert de la raccompagner chez elle. Lorsque la voiture est passée devant le cimetière, elle lui a demandé de ralentir. Elle est descendue, puis elle a disparu avant d'en franchir les portes.

Des légendes de la sorte font maintenant partie du folklore moderne. Certains prétendent que ces histoires ne sont que des versions contemporaines de légendes plus anciennes mettant en scène des carrosses et des cochers. De toute évidence, certaines histoires sont trop bizarres pour être prises au sérieux. Pourtant, dans les cas comme celui de Marie ressuscitée, les témoignages sont si nombreux qu'il serait imprudent de les balayer du revers de la main. Comment alors expliquer un tel phénomène?

Une fois les fabulations et les hallucinations éliminées, il reste deux explications possibles. Il y a tout d'abord les apparitions récurrentes qui ont été pétrifiées à l'endroit même où le décès est survenu. Il y a ensuite les cas d'interactions entre les fantômes et les vivants. Il peut alors s'agir d'esprits terrestres qui sont prisonniers de l'endroit où ils sont morts et qui ignorent qu'il existe un autre endroit où ils peuvent aller. Tout automobiliste qui croise un fantôme routier peut l'aider en demandant en pensées et en prières que cet esprit soit libéré.

Les fantômes vivants

J'espère avoir été en mesure d'illustrer à quel point il peut être difficile de distinguer un esprit d'un fantôme. Pour compliquer davantage les choses, je voudrais vous entretenir d'une dernière catégorie de fantômes ; les fantômes vivants. Comme je l'ai déjà expliqué, une personne qui possède une forte personnalité ou qui a vécu une émotion intense dans la maison où elle vivait peut laisser une empreinte. Toutefois, pour créer une telle empreinte, il ne faut pas obligatoirement être décédé.

Un jour, une de mes clientes, Susan, m'avait demandé de visiter sa maison en raison de l'atmosphère perturbée qui régnait dans une des chambres. Un voisin lui avait raconté que la fille handicapée du propriétaire précédent dormait dans cette chambre. Susan se demandait si l'esprit de cette enfant s'y trouvait encore.

J'avais senti que ce n'était pas le cas. Il s'agissait plutôt d'une empreinte laissée par une enfant malheureuse et frustrée. J'avais aussi l'impression que cette enfant vivait encore. Il suffisait de nettoyer la pièce (j'expliquerai plus loin comment procéder) pour augmenter la quantité d'énergie. Après le nettoyage, Susan a pu utiliser cette chambre sans ressentir de malaise.

Une personne dotée d'une forte personnalité qui a subi un traumatisme dans la maison où elle vivait peut avoir laissé une empreinte qui donne l'impression aux nouveaux propriétaires que leur maison est hantée !

Il y a cette histoire célèbre, dont j'ai été incapable de trouver la source, au sujet d'une femme vivant à la campagne ; elle faisait des rêves qui laissaient sur elle une forte impression. Un jour, alors qu'elle se promenait dans un endroit qu'elle affectionnait particulièrement, elle a aperçu une maison qui correspondait exactement à celle qu'elle voyait dans ses rêves. Ravie de constater qu'une pancarte « À vendre » avait été plantée devant la propriété, elle a frappé à la porte.

La propriétaire lui a raconté qu'elle avait de la difficulté à vendre sa maison. Les acheteurs potentiels se rebutaient devant l'impression qu'elle était hantée.

— Qui peut bien être ce fantôme ? a demandé la femme.

— Mais c'est vous ! s'est exclamée la propriétaire.

En effet, cette femme, qui souffrait de somnambulisme, avait visité cette maison pendant son sommeil, tel un fantôme.

Réalité ou fiction — qui sait ? Mais quelle histoire mystérieuse !

La chasse aux fantômes

Pendant qu'il est question de fantôme, je me sens dans l'obligation d'aborder le sujet de la chasse aux fantômes.

Les chercheurs dans le domaine du psychisme s'inté-ressent aux fantômes depuis plus de 100 ans. Un club de chasseurs de fantômes, le Ghost Club, a été créé à Londres en 1862. Quant à la Society for Psychical Research, organisme voué à la recherche sur les phé-nomènes psychiques, sa fondation remonte à 1882. Une société similaire a vu le jour aux États-Unis quelques années après. Aujourd'hui, la chasse aux fan-tômes est devenue un sport national. Il existe des asso-ciations partout à travers le monde, certaines plus sérieuses et mieux qualifiées que d'autres.

Les chasseurs de fantômes repèrent d'abord un endroit. Il peut s'agir d'une maison ou d'un édifice en ruines. Ils utilisent un équipement qui comprend des caméras, des magnétophones, des thermomètres, des détecteurs de fréquences électromagnétiques et des détecteurs de mouvement afin de capter la moindre anomalie. Très souvent, il ne se passe rien. De temps à autre, ils captent une baisse soudaine de la température ou enregistrent une lecture anormale d'un instrument.

Ces passionnés refusent souvent d'inviter des médiums à participer à leurs enquêtes, jugeant leur démarche «non scientifique». Ils ne font pas la distinc-tion entre les différents types d'esprits; pour eux, il ne s'agit que d'entités à analyser et à disséquer. Ils sem-blent ignorer le fait que ces «entités» sont en réalité des personnes décédées qui souffrent et qui ont besoin d'aide. Selon moi, cela équivaut à voir une personne en train de se noyer et mesurer la température de l'eau et le courant, au lieu de lui porter secours.

En outre, les chasseurs de fantômes sont plutôt inefficaces lorsqu'ils interviennent dans une maison hantée. Ils installent leur matériel, espérant qu'une manifestation spectaculaire se produise. Plus c'est effrayant, meilleur c'est ! Ils souhaitent voir le fantôme se donner en spectacle. Cependant, les efforts déployés par ces chasseurs peuvent parfois empirer les choses. En fait, le propriétaire des lieux ne veut pas que le fantôme se manifeste, mais plutôt qu'il parte. Les chasseurs peuvent provoquer un esprit. Ce dernier, tremblant d'indignation, risque alors de soulager sa colère sur les malheureux habitants de la maison !

Fermer boutique

En toute honnêteté, je dois préciser qu'il y a des chasseurs de fantômes et des chercheurs dans le domaine du psychisme qui ne travaillent pas ainsi. Par exemple, Archibald Lawrie, le secrétaire de la Scottish Society of Psychic Research, est un chercheur expérimenté qui comprend le monde spirituel et reconnaît le rôle des médiums. Archibald a mené des centaines d'enquêtes et il reçoit plusieurs appels chaque semaine de personnes troublées par l'activité psychique qui se manifeste dans leur maison ou leur lieu de travail. Archibald essaie d'apaiser leurs craintes et de leur expliquer ce qui se passe.

« Chaque fois, je fais appel aux services d'un médium, car c'est notre seul moyen de communiquer avec l'Au-delà. C'est un allié très précieux, et dans la plupart des cas, une seule visite suffit. »

Archie a constaté que dans bien des cas, des pensées et des mots bienveillants suffisent pour aider un esprit. Être en contact avec un médium et sentir sa compassion permet à l'esprit de briser les chaînes mentales qui le retiennent sur terre.

Dans son livre *The Psychic Investigator's Casebook*, Lawrie raconte plusieurs anecdotes fascinantes dont il a été personnellement témoin. Un exemple particulièrement bizarre est celui d'une boutique qui était située dans la petite ville écossaise de Crighton. Ce commerce était la propriété d'un couple, les Huttons. Chaque soir pendant plusieurs années, les marchandises qui se trouvaient sur les tablettes changeaient de place. À quelques reprises, Mme Huttons avait même aperçu un homme de petite taille au dos voûté qui était vêtu d'un costume noir. Détail encore plus étrange, chaque fois que les Huttons travaillaient dans leur boutique tard en soirée, ils éprouvaient, invariablement à 22 h 30 précise, une envie irrésistible de rentrer à la maison. Ils ne ressentaient aucune peur, mais savaient qu'il était temps pour eux de partir.

Archie avait visité cette boutique en compagnie de Francesca, une médium douée avec qui il travaillait souvent. Il n'a pas fallu beaucoup de temps à Francesca pour comprendre de quoi il retournait. En effet, elle avait vu un vieil homme entrer dans la boutique et se diriger aussitôt vers un endroit situé au milieu du magasin. Il s'arrêtait, puis passait à travers une étagère comme s'il s'agissait d'une porte menant à un escalier. En discutant avec le vieil homme, Francesca avait pu réunir les pièces du casse-tête. De son vivant, l'endroit où la boutique était située était la cour intérieure d'une auberge. Le vieil homme, qui travaillait dans cette auberge, logeait à l'étage. Chaque soir à 22 h 30, il demandait aux gens qui se trouvaient dans la cour de sortir, puis il verrouillait les portes et se retirait dans ses appartements.

Habituellement, les médiums encourageront un esprit emprisonné à partir, afin qu'il puisse progresser. Dans cet exemple, l'esprit semblait satisfait d'être là où il était. Comme sa présence n'importunait aucunement les Huttons, ils avaient décidé de ne pas le déranger.

Tous les médiums, moi y comprise, approuveraient sans réserve la méthode adoptée par Archie Lawrie. Chaque esprit terrestre découvert pendant une enquête doit être traité avec compassion et compréhension. Cette pensée me revient constamment à l'esprit dès que j'entre dans une maison hantée.

Comment parvient-on à libérer un esprit ? Je vais l'expliquer d'une manière concrète en utilisant certains cas dont j'ai été témoin et qui ont eu lieu dans des maisons où il se passait des choses très étranges.

3

Au secours, nous avons un fantôme !

Certaines personnes comprennent dès l'instant où elles posent le pied dans leur nouvelle demeure que quelque chose cloche. Pour d'autres, ce constat est plus graduel. La peur finit par s'installer, car ces gens se disent : « Au secours, nous avons un fantôme ! » C'est habituellement à ce moment que je reçois un appel téléphonique de panique.

La personne à l'autre bout du fil est habituellement une femme, car les femmes sont en général plus sensibles à ce genre de choses que les hommes. Elles sont souvent très embarrassées par la situation et elles espèrent entendre que tout cela n'est que le fruit de leur imagination. Bien sûr, je ne réponds jamais ce genre de choses. Je les rassure en leur disant qu'elles ne sont pas folles et que ces phénomènes qui semblent si étranges et si effrayants sont probablement quelque chose que je connais très bien.

Après les avoir calmées, je leur demande de me fournir plus de détails sur les événements qui se sont produits. Par exemple, ont-elles senti une présence ? Y a-t-il eu des odeurs ou des bruits inexpliqués ? De tels phénomènes sont fréquents dans les maisons hantées. Y a-t-il eu des incidents plus inquiétants comme des meubles déplacés ? Heureusement, il est rare que les esprits fassent de tels gestes.

Je suis surprise lorsque certaines personnes affirment avoir été témoins d'une apparition, à moins qu'il ne s'agisse que d'une ombre ou d'une lueur aperçue du coin de l'œil. Habituellement, les gens ont l'impression d'être observés et sentent qu'il se passe quelque chose d'anormal dans la maison, sans toutefois être capables de l'expliquer.

Si la maison est éloignée de l'endroit où je vis, j'essaie de trouver un médium qui travaille dans ce secteur et qui pourrait aller la visiter. Quoiqu'il soit parfois possible d'intervenir à distance dans une maison hantée, il est préférable de s'y rendre en personne. Si l'appel provient des environs, je propose de me rendre sur place pour vérifier s'il s'agit réellement d'un fantôme ou d'un esprit terrestre. Dans le jargon du métier, on dit que la maison doit être « nettoyée », ce qui donne ainsi un tout nouveau sens à l'expression « faire le grand ménage ». Mon offre est habituellement acceptée avec soulagement par mon interlocutrice : « Venez le plus vite possible, s'il vous plaît. »

Je prends rendez-vous. Si, dans beaucoup de cas, tous les membres de la famille tiennent à être présents par simple curiosité, il arrive parfois que la maîtresse de maison me fasse entrer en douce, à l'insu de son mari, plus sceptique.

Avant de me rendre dans cette maison, je dois me préparer. Je me mets d'accord avec mes guides pour qu'ils me donnent des indications sur le type de problème que je devrai résoudre. Cette maison est-elle réellement hantée ? Si oui, s'agit-il d'un esprit inoffensif qui refuse de quitter la maison où il a vécu, ou d'un cas plus inhabituel et plus difficile ? Je projette mes pensées vers cette maison pour essayer de glaner des informations. Mes guides se mettent également au travail pour préparer le terrain avant mon arrivée.

Le jour du rendez-vous, je fais quelques prières, avant de quitter la maison. De plus, je revêts mentalement une cape de protection psychique pour me protéger en cas de besoin. Je jette un dernier coup d'œil sur une carte — j'ai tendance à perdre mon chemin ! —, puis je me mets en route.

L'arrivée à la maison

Quand j'arrive à destination et que je rencontre la personne qui a pris contact avec moi, celle-ci est souvent très nerveuse. J'ai parfois l'impression d'effrayer davantage les gens que les fantômes eux-mêmes. Elle constate alors avec soulagement que je suis une personne tout à fait normale. De mon côté, je la rassure en lui disant qu'il est peu probable qu'il s'agisse d'un esprit malin. Les phénomènes produits par les esprits ne sont que des moyens d'attirer l'attention. Autrement, comment pourraient-ils signaler qu'ils existent?

Je pose quelques questions aux clients. Depuis combien de temps vivent-ils à cet endroit? Les phénomènes se sont-ils produits dès leur arrivée, ou viennent-ils tout juste de commencer? Y a-t-il eu des changements dans la propriété ou des rénovations? Il est fréquent que les esprits se manifestent dans de tels cas. Comme l'esprit était probablement là avant que les gens emménagent, le changement l'a perturbé, et il fait savoir son mécontentement.

Pendant que je pose ces questions, je me laisse imprégner par l'atmosphère qui règne dans la maison. Une maison hantée possède un type d'énergie tout à fait particulier, difficile à définir, mais aisément reconnaissable. C'est une impression de froideur, mais différente d'une sensation physique de froid. Je visite chaque pièce pour essayer d'évaluer à quel endroit cette impression est la plus perceptible. Cette pièce indique l'épicentre de la maison hantée. Il peut y avoir d'autres « points froids », des zones plus petites où l'énergie se concentre. Les occupants de la maison disent invariablement que ce sont les pièces les plus difficiles à chauffer de la maison.

À cette étape, la cause du problème commence à devenir plus évidente. Même s'il s'agit souvent d'un esprit terrestre, il existe aussi d'autres possibilités.

Les causes naturelles

C'est la première explication qui vient à l'esprit et la plus évidente. Pour ma part, jamais je n'ai eu à traiter avec un client qui m'avait menti. Certes, j'ai entendu des histoires de locataires qui prétendaient que leur logement à loyer modique était hanté, dans l'espoir d'être relogés. Il y a aussi des enfants ou des adultes malicieux qui aiment jouer des tours dans le seul but de faire peur à leurs proches. Toutefois, tous les gens qui m'ont demandé de l'aide étaient des personnes sincèrement inquiètes et préoccupées.

La peur peut parfois inciter des personnes à croire en quelque chose qui, en réalité, n'existe pas. Comme la peur du surnaturel est très répandue, une personne nerveuse peut facilement imaginer des choses, en particulier lorsqu'elle vit seule. Chaque bruit suspect est alors attribué à une cause surnaturelle. Par ailleurs, certaines personnes aiment croire que leur maison est hantée parce qu'elles trouvent l'idée excitante. Même après leur avoir expliqué gentiment que les « bruits de pas » qu'elles entendent ne sont que des craquements de plancher ou que le cadre qui est tombé était simplement mal fixé au mur, elles préfèrent croire qu'il s'agit plutôt d'une quelconque intervention d'un fantôme.

Les fantômes

Les fantômes sont un phénomène beaucoup plus répandu que les esprits terrestres. Plus votre maison est vieille, plus il y a de chance que vous cohabitiez avec un ou deux fantômes. La plupart des fantômes passent inaperçus, à moins que leur énergie soit particulièrement intense ou que la personne qui vit dans la maison soit elle-même médium.

Dès leur arrivée dans leur nouvelle maison, certaines personnes sentent qu'elle est encore occupée par quelqu'un qui y vivait auparavant. Il peut s'agir d'un esprit terrestre ou encore d'une empreinte psychique laissée par un ancien occupant des lieux. Avec le temps, cette énergie finit par s'estomper, chassée par l'énergie des nouveaux arrivants.

J'ai déjà fait l'acquisition d'un appartement où une vieille dame avait vécu pendant plusieurs années. Au début, je sentais très nettement sa présence. Je croyais qu'il s'agissait simplement d'une trace d'énergie et que l'esprit de cette dame était déjà passé dans l'Au-delà, ce qui était d'ailleurs le cas. Après avoir décoré l'appartement pour y apporter une touche personnelle, toute trace de cette vieille dame avait disparu.

Dès qu'un client m'explique que son locataire spectral se manifeste toujours au même endroit et dans les mêmes circonstances, je soupçonne aussitôt la présence d'un fantôme. Je dois cependant ne pas sauter trop vite aux conclusions. Un jour, un couple m'avait confié qu'il sentait la présence d'un vieil homme. Chaque soir à la même heure, ils entendaient quelqu'un monter l'escalier. Il s'est avéré par la suite qu'il s'agissait d'un esprit terrestre qui répétait simplement un geste qu'il avait posé toute sa vie : monter les escaliers pour se mettre au lit précisément à la même heure. Une fois l'esprit libéré, les bruits de pas ont cessé.

L'énergie négative

Certains clients croient que leur maison est hantée en raison de l'atmosphère lourde et oppressante qui y règne. Or, une telle atmosphère peut s'expliquer par la présence d'une énergie négative. Cette énergie peut avoir été laissée par les anciens occupants. Si la mésentente, la colère ou la tension régnait au sein de la famille qui vivait dans cette maison, il subsistera une énergie qui peut perturber les nouveaux arrivants.

J'ai connu un jeune couple qui avait vécu un bonheur sans nuage, jusqu'au jour où ils avaient emménagé dans leur nouvelle demeure. Dès lors, ils avaient commencé à se disputer sans cesse, au point d'envisager un divorce. Comme je ne sentais pas la présence d'un esprit dans cette maison, je leur avais suggéré de mener une enquête discrète auprès de leurs voisins, afin d'en savoir plus long sur les gens qui leur avaient vendu cette résidence. Ils avaient alors découvert qu'il s'agissait de personnes qui se querellaient continuellement. Une fois l'énergie négative chassée de cette maison, l'harmonie était revenue dans ce couple.

Ce résidu d'énergie négative peut provenir d'un autre immeuble qui se trouvait précédemment à cet endroit. Par exemple, une maison construite sur un terrain où il y avait autrefois un hôpital ou une prison souffrira peut-être d'une énergie négative. La cause du problème est parfois difficile à cerner ; il peut s'agir d'un événement qui s'est produit avant même qu'il y ait une construction érigée à cet endroit. L'énergie présente naturellement dans le sol est un autre facteur à prendre en considération ; en effet, les lignes d'énergie négative peuvent alourdir l'atmosphère dans une maison. Je reviendrai sur le sujet lorsqu'il sera question de l'énergie négative au chapitre 6.

Les tensions familiales

Dans certains cas, cette négativité n'est pas générée par un objet ou une personne directement en lien avec l'histoire de la maison, mais avec celle de la famille qui fait appel à mes services. J'ai déjà reçu une demande d'aide d'une jeune mère qui prétendait que sa maison était hantée par un esprit malveillant. C'était une grande demeure impeccablement meublée. Cette femme, son conjoint et ses trois enfants projetaient l'image d'une famille idéale. Selon eux, cet esprit gâchait leur vie en les rendant de mauvaise humeur et irritables les uns envers les autres.

J'ai fait le tour de la maison sans détecter la moindre présence. Je sentais toutefois que les apparences étaient trompeuses et que des tensions couvaient sous la surface. Lorsque je suis allée rejoindre cette famille, il y avait une discussion houleuse sur l'identité possible de cet «esprit». Ils ont été très offusqués d'apprendre qu'il n'y avait pas le moindre esprit dans leur maison.

Des situations du genre sont délicates. Il faut beaucoup de tact pour expliquer à des gens qu'ils sont eux-mêmes la cause de cette mauvaise atmosphère. Certaines personnes préfèrent croire que leur maison est hantée, car elles peuvent ainsi s'exonérer de tout blâme. Or, si ces personnes refusent de voir le problème en face et de prendre des mesures pour éliminer ces difficultés, l'énergie de leur maison ne s'améliorera pas.

Les proches décédés

Une des questions que je pose à mes clients est la suivante : «Y a-t-il eu récemment un décès dans leur famille?» Il peut s'agir d'une personne qui ne vivait pas avec eux. Certains esprits sont des membres de la famille qui veulent savoir comment leurs proches se portent. Ils sont d'ailleurs offusqués d'être considérés comme d'embarrassants fantômes !

Un jour, une femme avait fait appel à un médium dans un moment de panique, après avoir vu une «vieille dame» debout à côté de son lit. Elle était terrifiée parce qu'elle croyait que c'était un démon qui voulait s'en prendre à elle. En fait, cette «vieille dame» était une tante qu'elle n'avait pas vue depuis des années et qui était décédée quelques semaines plus tôt. Le médium a parlé à cette tante, qui s'est excusée d'avoir fait si peur à sa nièce. Elle voulait tout simplement la saluer.

Faire une libération

Après avoir éliminé toutes les autres causes possibles et m'être assurée qu'il y avait bel et bien un esprit terrestre dans la maison, je me prépare à le libérer. Généralement, ce n'est pas une opération longue et difficile. Si le client est une personne allumée sur le plan psychique, je l'invite à se joindre à moi. Certaines personnes sont heureuses de participer. Par contre, d'autres personnes sont beaucoup trop nerveuses : peu importe ce que je ferai, elles ne souhaitent pas être présentes quand je passerai à l'action! Je leur suggère de quitter la pièce et de préparer du thé pendant que je resterai seule quelques minutes pour faire mon travail.

Je m'installe ensuite dans la pièce où je sens la présence de l'esprit avec le plus de force. Après avoir invoqué mes guides pour qu'ils m'assistent, je me mets à l'écoute de l'esprit. En général, je n'essaie pas de voir l'esprit en tant que tel, mais plutôt d'avoir une impression générale de son apparence et de sa personnalité. Je lui parle en silence pour lui dire de chercher une lumière et de se diriger vers elle. Il est possible que je ne puisse converser avec cet esprit ni obtenir de réponse, car beaucoup d'esprits terrestres sont incapables de communiquer clairement. Cela n'a aucune importance. Tout ce que j'ai à faire est de me concentrer sur l'amour et la compassion que j'envoie à cet esprit, sachant que mes guides feront de même.

Pendant ce temps, mes guides établissent un lien mental entre l'esprit et moi. Je n'entre pas en transe, pas plus que l'esprit n'essaie de s'emparer de moi ou de me posséder. Ma conscience s'unit à la sienne. Je peux ainsi apprendre comment cet esprit est décédé et ce qui le retient encore parmi nous. À cette étape, je suis en mesure de capter ses émotions, et dans la plupart des cas, ce sont des sentiments de profonde tristesse et de solitude. Souvent, je pleure, mais ces larmes ne m'appartiennent pas ; je verse les larmes de l'esprit. Les esprits terrestres se sentent perdus et abandonnés.

Pourtant, ce n'est pas le cas. D'autres esprits sont également présents ; il s'agit habituellement de proches qui essaient d'entrer en contact avec eux. Toutefois, comme la conscience de ces esprits terrestres est encore liée au monde matériel, ils ne voient pas les autres esprits qui se trouvent dans un niveau supérieur de conscience. Par contre, ils peuvent voir et entendre le médium, car le médium est une entité physique. Les esprits terrestres savent alors qu'il y a encore une personne qui sait qu'ils existent.

L'esprit baigne maintenant dans la lumière que mes guides et moi avons projetée vers lui. Cela hausse suffisamment son niveau de conscience pour qu'il aperçoive les autres esprits qui l'attendent. C'est comme si je réveillais un somnambule. Une fois ce contact établi, les guides prennent le relais et l'emmènent. Je suis toujours étonnée de constater à quel point cette opération est rapide et facile. Souvent, cela ne prend que quelques minutes. La tristesse et la lourdeur disparaissent. Je sais que l'esprit nous a définitivement quittés.

Les sauveteurs

Depuis le début de ce livre, j'ai souvent parlé de mes guides. Un médium, un guérisseur ou toute personne qui œuvre sur le plan spirituel possède des guides qui l'accompagnent. Ce sont des êtres évolués qui, au lieu de passer dans les niveaux supérieurs de conscience, ont choisi de rester près du plan terrestre pour servir l'humanité de multiples façons. Certains guides sont des guérisseurs, d'autres des sages. Certains guides facilitent la communication entre les mondes, permettant à ceux qui veulent entrer en contact avec les êtres vivants de le faire. J'ai plusieurs guides. Certains sont très proches de moi. Ils m'accompagnent depuis que je suis née et veillent sur chaque aspect de ma vie. D'autres sont venus à moi dans un but spécifique.

Tous les médiums qui effectuent des opérations de sauvetage possèdent des guides qui sont, pour reprendre une expression terrestre, des experts en la matière. Je les appelle «des sauveteurs». J'ai un groupe de sauveteurs qui m'accompagnent. Chaque fois que j'entre dans une maison où il y a une perturbation psychique ou que j'ai affaire à une personne aux prises avec un esprit terrestre, je les appelle à l'aide. Ils sont infiniment bienveillants, patients et forts. Aucun esprit, aussi malveillant soit-il, n'est hors de leur portée. Je me fie entièrement à eux et sans leur aide, je serais impuissante. En fait, ce sont eux qui font le gros du travail. Je ne fais que leur donner un coup de pouce.

Dans chaque cas, je fais appel à eux pour me protéger contre les forces négatives que je pourrais rencontrer. Même si cela se produit rarement, je préfère être prudente. Les esprits, qu'ils soient terrestres ou non, sont aussi diversifiés que les individus sur terre.

Ils sont inoffensifs pour la plupart, mais on ne sait jamais.

Le logement d'étudiants

Un jour, j'ai reçu un appel désespéré d'un étudiant prénommé Paul. Ce jeune homme partageait un logement avec d'autres étudiants. Il m'a raconté que plusieurs de ses colocataires avaient vu un fantôme. Ils avaient de plus en plus peur, jusqu'au point où la nuit précédente, ils étaient sortis en courant de la maison pour se réfugier dans la rue, trop effrayés pour y retourner.

Même si j'avais accepté de leur venir en aide, je dois avouer que j'étais nerveuse. Il y avait longtemps que je n'avais pas fait de mission de sauvetage. Je me demandais si j'allais être à la hauteur et s'il ne valait pas mieux faire appel à un médium plus expérimenté. Mes guides m'ont rassurée en me disant qu'il n'y avait aucun danger à ce que je travaille seule. Je me suis donc rendue sur place, non sans une certaine appréhension.

La maison était située dans un secteur délabré de la ville qui comprenait plusieurs propriétés transformées en immeubles à logements. Dès que j'ai franchi le pas de la porte, j'ai senti une tension dans l'air. Quatre ou cinq étudiants vivaient à cet endroit, et tous m'ont confié avoir senti une présence. Une jeune fille a affirmé avoir aperçu un vieil homme à l'air menaçant qui l'observait pendant qu'elle était couchée dans son lit. Une autre a prétendu avoir entendu un rire démoniaque. Il s'agissait de toute évidence d'expériences traumatisantes. Ils essayaient néanmoins de prendre le tout avec un grain de sel et ils ont écouté avec une curiosité mêlée d'humour mes explications sur les fantômes et les esprits.

Je leur ai dit que les gens ne changent pas, après leur mort. Ils se débarrassent tout simplement de leur enveloppe charnelle. Les personnes qui étaient violentes et agressives ne se transforment pas en anges munis d'ailes ; elles deviennent tout simplement des esprits violents et agressifs. Ce sont les voyous et les délinquants du monde spirituel. Tout comme ceux qui sévissent sur terre, ces esprits cherchent à intimider les autres et à les effrayer. Puisqu'ils sont morts, ils ne peuvent pas infliger de blessures corporelles, ce qui ne les empêche pas d'adopter un comportement agressif envers ceux qu'ils perçoivent comme vulnérables et faciles à effrayer. J'ai alors expliqué aux étudiants que par leur comportement, ils avaient renforcé cet esprit sans le vouloir. La peur se nourrit de la peur. Plus ils étaient nerveux et tendus, plus ils généraient une énergie qui alimentait l'esprit.

Pendant que nous discutions, j'ai commencé à sentir la présence de cet homme. Il était debout dans un coin de la pièce et écoutait avec grand intérêt notre conversation. C'était un homme de grande taille et costaud, vêtu de vêtements de travail comme un ouvrier. Son attitude était intimidante, et ma présence lui déplaisait manifestement. Le seul comportement à adopter avec un voyou est de l'affronter. Je me suis donc placée face à lui pour lui montrer que mes guides et moi n'entendions pas à rire (même si je dois admettre que je tremblais un peu intérieurement). J'ai senti que sous un dehors agressif, cet esprit était aussi effrayé que les étudiants. Je savais aussi que les sauveteurs ne ressentaient que de la compassion envers lui.

J'ai ensuite expliqué brièvement aux étudiants en quoi consistait une opération de sauvetage et j'ai suggéré d'unir nos forces pour le libérer. Comme ils étaient des personnes à l'esprit ouvert, ils ont accepté. Nous nous sommes assis en cercle. Je leur ai demandé de fermer les yeux, puis j'ai récité une prière. Je leur ai ensuite demandé de visualiser cet homme, non pas avec crainte, mais avec miséricorde, et de l'imaginer entouré de lumière. Nous sommes restés ainsi pendant un moment, puis j'ai commencé à sentir un changement, comme si nous étions entourés d'anges. Une jeune fille a même dit qu'elle pouvait voir la lumière qui baignait toute la pièce.

Les mots étaient superflus. L'homme était en train de s'effacer sous mes yeux, dépouillé de son arrogance. J'avais devant moi un être malheureux et pitoyable. Il pouvait maintenant voir mes guides. Au début, il est resté sur ses gardes, ébloui par leur éclat et hésitant à les suivre. Les esprits de ce genre refusent souvent de partir, car ils craignent d'aller dans un endroit où ils recevront leur châtiment. Les guides l'ont rassuré en lui disant qu'ils n'avaient nullement l'intention de le punir, mais de le guérir. Les sauveteurs ne sont pas là pour juger. Ils ont une connaissance approfondie et intuitive des éléments qui ont façonné la personnalité d'un esprit pendant sa vie terrestre et qui expliquent son comportement actuel, qu'il s'agisse d'épreuves ou d'un manque d'amour.

Au bout de quelques minutes, il a décidé de les suivre. J'ai expliqué au groupe ce qui venait de se passer. Les étudiants étaient très soulagés de voir leur calvaire prendre fin. Je pense que j'étais plus soulagée qu'eux, quand je suis montée dans ma voiture pour rentrer chez moi.

Une tristesse partagée

Même un esprit amical et inoffensif peut avoir un impact négatif sur les habitants d'une maison. Malgré l'absence de manifestations psychiques menaçantes, il n'en demeure par moins qu'un dommage est causé, plus subtil mais tout aussi dévastateur.

Julie avait entendu parler de moi par une de ses amies.

— Je sais que cela a l'air idiot, m'a-t-elle expliqué au téléphone, mais je pense qu'il y a quelqu'un dans ma chambre.

Elle a ajouté qu'elle n'arrivait plus à fermer l'œil de la nuit, se sentant épiée.

Je lui demandé pourquoi elle était effrayée.

— Je ne dirais pas « effrayée ». Plutôt « mal à l'aise ». J'ai l'impression que c'est une femme. Elle semble amicale, et je pense qu'elle m'aime bien. Je voudrais simplement savoir qui elle est et ce qu'elle veut.

Je me suis rendue chez Julie. À en juger par son style, cette maison datait des années 1950. Après avoir discuté pendant quelques minutes, elle m'a fait visiter la maison. Un air de tristesse imprégnait cette demeure. Julie, qui était dans la quarantaine, m'a raconté qu'elle sortait tout juste d'un pénible divorce. La maison qu'elle partageait avec son ex-mari avait été vendue, et elle avait emménagé dans cette nouvelle demeure. Au début, elle n'avait rien remarqué d'anormal. C'était une jolie petite maison où elle espérait tourner la page sur le passé et prendre un nouveau départ.

— Peu à peu, j'ai commencé à sentir que je n'étais pas seule, a-t-elle poursuivi. Il y avait une présence. Je la sentais dans chaque pièce et particulièrement dans ma chambre. Ce n'était rien de menaçant. Je ressentais surtout une immense tristesse.

Pendant longtemps, Julie a cru que cette impression n'était que le reflet de sa propre tristesse et de son sentiment de perte. Elle n'avait pas choisi de divorcer. Elle aimait encore son ex-mari et elle vivait la séparation d'avec lui comme un deuil. Elle savait qu'il lui faudrait du temps pour l'accepter. Elle était une personne seule qui n'avait pas de famille et très peu d'amis proches. Cependant, elle était déterminée à apporter des changements dans sa vie. Elle s'était prise en main pour se lancer dans de nouvelles activités et devenir plus active dans sa collectivité. Elle espérait ainsi se faire des amis et même rencontrer de nouveau l'âme sœur.

— Ça n'a pas fonctionné comme je l'espérais, a-t-elle ajouté. En fait, j'étais de plus en plus déprimée. Je n'arrivais plus à m'en sortir. Je passais de plus en plus de temps dans la maison à tourner en rond.

C'est alors qu'elle est devenue de plus en plus consciente de la présence d'un esprit.

— J'ai toujours eu une sensibilité psychique et je sais que ma grand-mère est restée avec moi. J'étais très proche d'elle. Je savais qu'elle ne me ferait jamais de mal. J'ai médité et j'ai essayé d'entrer en contact avec la femme qui se trouvait dans la maison. Tous les jours, je lui parle et je pense qu'elle m'entend. J'ai l'impression qu'elle a besoin d'aide.

— Je pense que vous avez besoin d'aide toutes les deux, lui ai-je répondu.

La situation était maintenant claire comme de l'eau de roche.

Quand une personne sensible vit dans une maison hantée, elle peut capter inconsciemment les émotions d'un esprit. Sans raison apparente, cette personne devient déprimée, anxieuse, craintive, frustrée. Elle vit des émotions dont elle ignore la cause et qui ne lui ressemblent pas. Il ne lui vient pas à l'esprit qu'elle est en fait influencée par un esprit.

C'était apparemment le cas de Julie. Quand j'ai établi un lien télépathique avec l'esprit, j'ai découvert qu'il s'agissait d'une veuve. Comme Julie, elle vivait seule dans cette maison, pleurant la mort de son mari. Elle avait été attirée par Julie, sentant qu'elle avait une affinité avec elle. À sa façon, elle avait essayé de la réconforter, mais en fait, elle avait produit l'effet contraire. En plus de sa propre souffrance, Julie ressentait la souffrance de cet esprit, et ce poids l'étouffait.

J'ai expliqué la situation à Julie, qui a été grandement soulagée.

— Je ne suis pas la seule responsable !

Elle m'a demandé si je pouvais libérer l'esprit, et nous l'avons fait ensemble. Les sauveteurs ont permis à cette femme de retrouver son mari. J'ai ressenti ce merveilleux moment de retrouvailles, lorsqu'elle l'a aperçu et qu'elle a compris que celui-ci l'attendait depuis longtemps mais qu'il avait été incapable d'entrer en contact avec elle.

Julie m'a demandé si je sentais la présence de sa grand-mère.

— Votre grand-mère est entrée dans la lumière, lui ai-je dit. De là, elle vous apporte force et lumière. Quant à votre esprit, c'était une prisonnière si absorbée par son chagrin qu'elle vous a rendue plus déprimée.

Une fois l'esprit libéré, l'énergie a augmenté dans la maison. C'était comme ouvrir les rideaux pour laisser entrer le soleil. Julie était triste de la voir partir, mais heureuse de penser qu'elle avait trouvé le bonheur. Libérée de cette tristesse oppressante, Julie a retrouvé son énergie et repris le cours de sa vie, sans doute avec l'aide de sa tendre grand-mère. Peu de temps après, elle a rencontré quelqu'un qui est venu vivre avec elle. J'espère que la bienveillante dame a approuvé son choix.

La vieille dame au foyer

Je n'œuvre pas que pour des clients ; parfois, des amis sollicitent mon aide, si leur maison est hantée. Un jour, une amie prénommée Ann a fait appel à moi parce qu'elle sentait la présence d'une vieille dame dans sa maison. Comme cela la préoccupait beaucoup, elle m'a demandé si je pouvais faire quelque chose pour l'aider.

Même si je connaissais Ann depuis un bon moment, c'était la première fois qu'elle m'invitait chez elle. Dès que j'ai franchi le pas de la porte, j'ai ressenti le frisson si familier associé aux maisons hantées et j'ai su qu'il y avait un esprit quelque part. La sensation était plus vive dans le salon, et nous nous sommes assises dans cette pièce pour prendre le thé. Ann m'a alors raconté l'histoire suivante :

— Cela faisait un bon moment que nous cherchions une maison, et celle-ci répondait à nos besoins, même si je ne l'aimais pas vraiment. Elle était bien située et comptait suffisamment de chambres pour nos garçons. Dès que nous avons emménagé ici, j'ai senti qu'il y avait quelque chose de terrible dans l'air. Quelque chose de sinistre et d'hostile. C'était pire dans le salon. Personne ne voulait aller dans cette pièce, et nous restions entassés dans la cuisine ! Même les visiteurs sentaient que quelque chose ne tournait pas rond. Il y faisait toujours froid, même si nous augmentions le chauffage. J'ai même décelé un endroit plus froid de ce côté.

Elle a pointé du doigt le fond de la pièce.

— Un jour, en méditant dans le salon, j'ai senti la présence d'une vieille dame. J'ai alors eu l'impression de voir la pièce comme elle était aménagée à l'époque. Il y avait un lit en fer ainsi qu'un vieux foyer en fonte à l'endroit même où il y a maintenant un foyer

électrique. La vision était si nette qu'elle m'a bouleversée, et c'est alors que j'ai décidé de t'appeler.

Pendant qu'Ann parlait, j'ai perçu la présence de la
vieille dame. J'ai senti que ses jambes la faisaient souffrir et que vers la fin de sa vie, comme elle n'était plus
en mesure de monter l'escalier, elle avait transformé le
salon en chambre à coucher. C'est là qu'elle était morte,
seule.

Même si Ann est une guérisseuse et qu'elle reste
en étroite relation avec ses guides, elle n'avait jamais
mené d'opération de sauvetage. Toutefois, sachant que
son énergie positive allait être utile, je l'ai invitée à se
joindre à moi. Nous avons concentré nos pensées vers
la vieille dame. Sans échanger un seul mot, je pouvais
sentir ce qu'elle ressentait : elle était perdue, seule et
confuse. Nous lui avons simplement envoyé de l'amour
pour lui faire comprendre que nous étions là pour l'aider.

Pendant un moment, il ne s'est rien passé. Puis,
lentement, la lumière envoyée vers elle a commencé à
pénétrer dans son esprit troublé. Maintenant, je savais
qu'elle pouvait voir les guides. Ils lui tendaient la
main. Elle a d'abord refusé de les suivre, craignant de
quitter un endroit qu'elle connaissait bien, mais ils ont
continué à l'inviter gentiment à les suivre. Elle a finalement compris qu'ils étaient venus pour l'emmener
vers un meilleur endroit pour elle.

Ann et moi avons senti son soulagement, et nos
yeux se sont remplis de larmes. Elle nous a remerciées

de l'avoir aidée. L'atmosphère dans la pièce est devenue plus chaude et plus légère. Elle était prête à partir. Avant de nous quitter, elle m'a dit qu'elle manifesterait une dernière fois sa présence.

Elle a tenu parole. Quelques jours plus tard, Ann est entrée dans la pièce. C'était l'anniversaire d'un de ses fils, et elle avait placé les cartes de souhaits sur une étagère située dans le coin de la pièce où était autrefois installé le lit de la vieille dame. Soudainement, toutes les cartes sont tombées sur le plancher, même s'il n'y avait aucun courant d'air. C'était le geste d'adieu de la dame. Ann n'a plus jamais senti sa présence, et sa famille a enfin pu jouir à son aise du salon.

Le fantôme de l'hospice

J'ai déjà expliqué qu'il peut subsister dans une maison une énergie négative provenant d'une autre construction qui se trouvait autrefois au même endroit. Un esprit terrestre qui hantait ce lieu peut alors se manifester dans la nouvelle habitation. Il occupe le même espace physique qu'il habitait de son vivant, mais dans une dimension différente. Il y a fort à parier qu'il ignore même que la maison où il vivait n'existe plus.

Theresa est le genre de personnes qui semblent prédestinées à habiter une maison hantée. Cela avait été le cas toute sa vie. Le jour où elle s'était installée dans sa nouvelle maison flambant neuve, elle croyait être enfin débarrassée des interférences spectrales. Elle se trompait.

Quelques semaines après son déménagement, elle a commencé à éprouver une sensation de lourdeur et de peur. Elle a tout de suite compris qu'elle avait un locataire invisible. Quand je me suis présentée chez elle pour lui venir en aide, j'ai senti que cet esprit était un homme âgé qui souffrait. Dans mon esprit, je l'entendais geindre : « Mes jambes ! Mes jambes ! »

Après être entrée en contact avec lui, j'ai compris que la communication serait ardue, car il était prisonnier de son univers mental. Comme je ne pouvais lui parler, j'ignorais s'il était malade ou si ses jambes étaient blessées ou amputées. Tout ce que je savais, c'est qu'il avait souffert avant de mourir et que cette souffrance l'avait suivi dans la tombe.

À ce sujet, j'aimerais préciser, particulièrement à l'intention de ceux qui n'ont jamais vu un proche mourir dans la souffrance, que souffrir après la mort n'entre pas dans le cours normal des choses. Lorsque nous nous débarrassons de notre enveloppe charnelle, nous existons à travers notre esprit, sans maladie ou faiblesse d'aucune sorte. Toute douleur que nous ressentions de notre vivant disparaît instantanément. En fait, ceux qui sont passés dans l'Au-delà disent qu'ils se sentent bien et forts, plus vivants en fait qu'ils ne l'étaient de leur vivant ! Même les esprits terrestres ne connaissent pas la souffrance physique. À l'occasion, comme dans le cas de ce vieil homme, sa conscience est si obnubilée par la douleur endurée de son vivant qu'il avait l'impression de la ressentir encore. Ces esprits n'ont pas compris que leur enveloppe n'est plus charnelle mais spirituelle.

Pendant que je cherchais un moyen d'entrer en contact avec cet homme, j'ai senti un des sauveteurs venir à ma rescousse. Une vague d'amour a déferlé, et j'ai entendu les mots : « Cet homme a assez souffert. » Tout simplement. L'homme a quitté la maison.

Après que j'ai raconté à Theresa ce qui venait de se passer, nous nous sommes demandé d'où pouvait provenir cet esprit, car personne n'avait vécu dans cette maison avant elle. Il y avait un hôpital situé tout près. Peut-être que cet homme y avait été hospitalisé. Theresa s'est alors souvenue que sa maison avait été construite sur l'emplacement d'un ancien hospice datant de l'époque victorienne. Voilà ce qui expliquait la présence de cet esprit, j'en étais persuadée. J'imaginais les épreuves et la pauvreté que cet homme avait endurées avant de mourir. Pas étonnant que les guides avaient jugé qu'il avait assez souffert.

Pendant que nous parlions, Kelly, la fille de Theresa âgée de huit ans, s'est assise sur le sofa. Elle dessinait et coloriait sans se soucier de nous. Avant que je prenne congé, elle m'a montré son dessin. Elle avait écrit le mot « sauvetage » en grosses lettres dans le bas de sa feuille. Elle avait dessiné des nuages gris au-dessus du mot, puis un soleil jaune vif et un ciel bleu azur. Ce dessin symbolisait parfaitement l'esprit terrestre traversant les nuages gris du malheur pour entrer dans la lumière.

Être un esprit terrestre

Les exemples présentés dans ce chapitre sont typiques des cas dont j'ai été témoin au fil des ans. La plupart des gens sont si soulagés de se débarrasser d'un esprit qui les hante qu'ils ne cherchent pas à savoir qui était cet esprit ou pourquoi il était là. Certaines personnes ont une attitude plus ouverte. Elles voient l'esprit comme moi je le vois, non comme une entité vague et nébuleuse, mais comme une personne qui a besoin d'aide.

Dès le moment où j'ai commencé à libérer des esprits, je me suis demandé à quoi pouvait bien ressembler leur existence. Bien entendu, personne ne le sait exactement. Les esprits terrestres sont des individus. Leurs pensées, leurs comportements et leurs émotions varient. Grâce aux conversations que j'ai eues avec eux, j'ai pu mieux comprendre leur état mental. Je peux ainsi proposer une réponse à la question : « À quoi ressemble l'existence d'un esprit terrestre qui erre dans l'étrange zone grise qui sépare les deux mondes ? »

4

Être un esprit terrestre

Il y a plusieurs années, alors que je venais tout juste de commencer à libérer des esprits, j'ai eu un premier aperçu de ce à quoi ressemblait l'existence d'un esprit terrestre. Il s'agissait, je crois, d'une expérience que mes guides souhaitaient que je vive afin de mieux comprendre l'état d'esprit des entités dont j'allais devoir m'occuper.

À l'époque, je demeurais avec mon oncle. Un soir, fatiguée, je m'étais couchée tôt. Mon oncle était assis dans le salon en train de regarder la télévision. Je me faisais du souci pour lui, parce qu'il était très malade. Je suis restée éveillée pendant un moment en pensant à lui, puis je me suis endormie.

Pendant la nuit, je me suis réveillée et j'ai décidé d'aller voir au rez-de-chaussée si tout allait bien. En descendant l'escalier, je pouvais entendre le son de la télévision. La porte du salon était fermée. En avançant la main pour tourner la poignée, je me suis trouvée tout à coup de l'autre côté de la porte. J'ai jeté un coup d'œil dans la pièce. Tout semblait normal. Je me suis regardée et j'ai vu que j'étais vêtue du même ensemble jupe et chemisier que je portais la veille. Mon oncle s'était endormi. Je me suis approchée pour le toucher, mais ma main est passée à travers son corps.

C'est à ce moment que j'ai compris que j'étais en train de vivre une expérience extra-corporelle. Je suis restée sans bouger pendant un moment en me demandant ce que je devais faire. Puis, sans décision consciente de ma part, je me suis trouvée en train de monter l'escalier. Je me suis réveillée dans mon lit le cœur battant à tout rompre, tremblante et désorientée.

Les EEC et les esprits terrestres

Les expériences extra-corporelles (EEC) sont des phénomènes bien connus qui surviennent fréquemment. En fait, nous vivons de telles expériences toutes les nuits. Quand nous dormons, le corps spirituel se détache du corps physique et se promène. Même si le corps spirituel peut parcourir de grandes distances, il reste proche de son enveloppe charnelle. Comme un fantôme, il reste au même endroit, mais dans une autre dimension et dans un niveau de conscience différent. Notre esprit conscient dort, et c'est pourquoi nous sommes incapables de nous remémorer ces excursions nocturnes. Parfois, l'esprit conscient se réveille, et c'est alors que se produit une expérience extra-corporelle. J'ai vécu beaucoup d'expériences de la sorte au cours de ma vie et je sais maintenant que cet état ressemble à celui d'un esprit qui a quitté définitivement son corps tout en conservant une présence terrestre.

Dans l'anecdote que je racontais au début du chapitre, je n'avais pas conscience que je me trouvais dans un état désincarné à l'extérieur de mon corps. Physiquement, je ne sentais rien d'anormal. Toutefois, sur le plan mental, en y réfléchissant après coup, je me sentais anormalement distante et sans émotion, comme si je me trouvais derrière un miroir sans tain. Étrangement, quand nous rêvons, il peut survenir des événements étranges ou illogiques que nous considérons comme allant de soi ; ainsi, le fait de passer à travers la porte du salon ne me semblait pas anormal. Au contraire, tout dans ce salon me semblait parfaitement normal, comme cela l'avait toujours été. Pourtant, je savais que j'étais incapable de déplacer quoi que ce soit dans cette pièce et que personne ne pouvait me voir. Si mon oncle avait ouvert les yeux, il aurait cru qu'il y avait un fantôme devant lui.

«Je dois être mort!»

Que serait-il arrivé, si, au lieu de sortir de mon corps, j'étais tout simplement morte ? Une chose dont je suis certaine, c'est qu'on aurait pris soin de moi. Après une brève période de confusion, j'aurais compris très rapidement ce qui venait de se passer, grâce à ce que je sais à propos de la vie après la mort. Mon père ou ma grand-mère aurait probablement été là pour m'accueillir. Considérons maintenant la situation inverse, c'est-à-dire que je sois persuadée qu'il n'y a rien après la mort. Si je décédais subitement, je ne comprendrais pas vraiment ce qui serait en train de m'arriver, comme c'est le cas pour beaucoup de gens. Il serait même possible que je ne sois pas consciente d'être morte.

Cet énoncé semble difficile à croire. Être mort et ne pas le savoir? C'est tout à fait possible. Lorsqu'un individu quitte son corps physique au moment de sa mort, il se peut qu'il ne remarque aucun changement au début, car il demeure la même personne qu'il était l'instant d'avant. Son corps spirituel ressemble à son corps physique et lui procure les mêmes sensations. Il porte même le genre de vêtement qu'il portait de son vivant, car l'esprit utilise un processus de pensée automatique et inconscient pour créer des vêtements. Cette personne se trouve dans un état de semi-conscience, comme dans un rêve. Ses pensées sont confuses, et elle ne comprend pas ce qui se passe. L'idée d'une vie après la mort semble trop absurde pour être compréhensible.

Cet état de confusion ne dure généralement qu'un instant. D'autres esprits qui étaient proches de cet individu arrivent pour l'aider et lui faire comprendre avec douceur ce qui est arrivé. C'est à ce moment précis où il baisse le regard et aperçoit son corps physique que la vérité lui saute aux yeux : «Je suis mort!» Malheureusement, il subsiste un petit nombre d'esprits qui, pour des raisons que j'expliquerai plus loin, ne font pas cette prise de conscience. Ils restent prisonniers de cet état semi-conscient, et ce rêve devient leur réalité. Graduellement, avec le temps qui passe —, et ce, même si la notion de temps leur est étrangère —, ils cessent d'être conscients du monde des vivants ou, s'ils le sont encore, le considèrent comme une intrusion inopportune dans leur univers. Prisonniers de leur propre esprit, ils sont également coupés du monde spirituel, ce qui complique la tâche des sauveteurs qui essaient d'entrer en relation avec eux.

Comme je disais, ces esprits ignorent qu'ils sont morts, quoique je soupçonne que dans certains cas, ce n'est pas tout à fait vrai. Ils le savent, mais refusent de le reconnaître. Ils ont peur de quitter un endroit rassurant qui leur est familier, comme c'était le cas de la vieille dame qui vivait dans la maison d'Ann. À quoi ressemblait son existence? Bien entendu, je ne peux donner une réponse exhaustive à cette question. Je peux cependant proposer un certain nombre d'hypothèses basées sur les informations que j'ai obtenues de cette vieille dame et des autres esprits que j'ai rencontrés. Pour vous aider à mieux comprendre, je vais vous raconter son histoire telle que j'ai pu la reconstituer.

Comme je ne connais pas son nom, je l'appellerai tout simplement Alice.

L'histoire d'Alice

Supposons qu'Alice avait vécu seule dans cette maison pendant plusieurs années. Elle avait peu d'amis et sortait rarement de chez elle, surtout dans les dernières années, en raison de ses difficultés à marcher. Comme la plupart des membres de sa génération, on lui avait enseigné qu'à la mort, on va au paradis ou en enfer. Peut-être qu'elle y croyait, peut-être pas. Peut-être même qu'elle ne pensait jamais à ce qui arrivait après la mort.

Un soir, elle s'est endormie, c'est du moins l'impression qu'elle avait eue, puis elle s'était réveillée le lendemain comme si rien n'avait changé. Toutefois, pour une raison qu'elle ne pouvait expliquer, elle se sentait un peu étrange. Elle s'était levée. Comme par miracle, la douleur dans ses jambes avait disparu, et elle pouvait se déplacer à son aise. Puis, elle a cessé d'y penser pour vaquer à ses occupations habituelles. Le soir, elle s'était endormie au coin du feu. À la tombée de la nuit, elle était allée se coucher dans son vieux lit en fer. Les jours ont passé, et elle n'avait pas conscience du temps qui fuyait. Parfois, elle se demandait pourquoi elle ne vieillissait plus ou pourquoi plus personne ne lui rendait visite. Cependant, l'idée qu'elle était morte ne lui effleurait jamais l'esprit.

La maison qu'elle voyait était la même. Le décor n'avait pas changé. De temps à autre, des sons et des images provenant du monde des vivants parvenaient jusqu'à elle, mais c'était pour elle des sons et des images étranges qui n'appartenaient pas à son monde. Elle entendait des voix qu'elle ne connaissait pas et voyait des objets qu'elle n'avait jamais vus auparavant. Il y avait par exemple cette curieuse boîte remplie d'images qui bougent et cette autre machine, si différente de sa planche à laver, qui faisait tournoyer les vêtements à toute vitesse.

Les années ont passé, et la maison a changé plusieurs fois de propriétaires. Certains occupants sentaient une présence qui les rendait mal à l'aise. La plupart ne savaient pas qu'elle existait. Puis, Ann et sa famille ont emménagé dans la maison. Les médiums possèdent une énergie qu'un esprit terrestre peut sentir et qui l'amène à prendre davantage conscience du monde des vivants. Alice a peut-être aperçu cette famille et s'est demandé qui étaient ces intrus qui osaient envahir sa demeure. Cela la mettait en colère. De son côté, cette famille sentait inconsciemment cette colère. C'est pourquoi elle hésitait à utiliser la pièce qui était le domaine privé d'Alice.

L'existence solitaire d'Alice était sur le point de prendre fin. Cette journée-là, quand Ann s'est assise dans le salon pour méditer, elle a créé un lien mental avec Alice. Elle a commencé à se réveiller, ce qui a pu ajouter à sa confusion. Elle comprenait vaguement que quelque chose avait changé, sans savoir ce que c'était. Elle ne voyait encore personne appartenant au monde spirituel.

Puis est arrivé le jour où nous nous sommes assises ensemble, Ann et moi, pour la libérer. Nos guides nous entouraient. La combinaison de notre amour et de notre compassion a pénétré le brouillard de confusion dans lequel se trouvait Alice depuis si longtemps. J'imagine qu'elle a vu une lumière apparaître devant elle et que des êtres de lumière lui ont fait signe de se diriger en leur direction. Au début, elle était méfiante, ne sachant pas si elle devait leur faire confiance, puis les êtres de lumière l'ont persuadée de les suivre. Elle est entrée dans la lumière, comme si la porte de sa prison venait de s'ouvrir. Emportée par une vague d'amour et de guérison, elle a disparu dans un monde où elle a finalement trouvé la paix. Ann et moi avons ressenti le moment de son départ et l'amour qui emplissait la pièce.

La servante et sa maîtresse

Il existe beaucoup d'esprits comme Alice qui sont faciles à libérer lorsqu'ils sont traités avec compassion plutôt qu'avec hostilité et peur. Habituellement, l'opération ne prend que quelques minutes. Si les esprits sont réticents à partir, ce sera plus long, et c'est à ce moment que la gentillesse et la patience sont primordiales. Dans son ouvrage *The Wheel of Eternity*, Helen Greaves nous livre un fascinant témoignage à ce sujet.

En 1971, Helen avait fait l'acquisition d'un cottage datant du XVIe siècle. Elle ignorait que cette maison était hantée, jusqu'au soir où, pendant qu'elle était en train de lire, elle a senti la présence d'une vieille femme assise dans un fauteuil situé face à elle. Cette dame, qui était vêtue d'une robe longue noire et d'un tablier blanc, la fixait avec un air intrigué. Helen ne sentait aucune animosité de sa part. Ce n'était simplement qu'une pauvre âme perdue.

Par télépathie, la femme lui a raconté qu'elle avait été une servante dans une grande demeure des environs. À la mort de sa maîtresse, elle avait emménagé dans ce cottage et y avait vécu seule. Même si c'était son petit royaume à elle, elle croyait un peu confusément qu'Helen était sa logeuse et elle acceptait sa présence, trop heureuse d'avoir de la compagnie.

Avec le temps, la femme a raconté d'autres détails de sa vie. Elle avait détesté sa maîtresse, qui s'était montrée dure et exigeante à son endroit. Comme elle n'avait pas de famille, la seule personne qui lui était chère était le fils de sa maîtresse, qu'elle appelait «Garçon»; il était mort noyé dans un étang. La maîtresse avait méprisé ce fils, qu'elle considérait comme un imbécile. La servante avait eu pitié de lui et avait essayé d'être une mère de remplacement. Au bout de quelques nuits, Garçon lui-même est apparu dans la maison d'Helen. Il n'était plus un enfant, mais un être rayonnant de lumière. Il a expliqué à Helen qu'elle avait été guidée vers ce cottage afin de libérer un esprit qui y était emprisonné.

Dans ses conversations avec la vieille femme, Helen avait essayé de découvrir les pensées qui lui traversaient l'esprit. La femme exprimait son soulagement de ne plus être au service de sa cruelle maîtresse et de pouvoir enfin profiter en paix de son cottage.

— Ça me suffit. Je vais rester ici jusqu'à ma mort.

D'une manière posée, je lui ai demandé :

— Votre mort? Que se passera-t-il quand vous serez morte?

Elle a semblé décontenancée par ma question :

— Bien, c'est la fin, il n'y a plus rien.

— Qu'en est-il du paradis et de l'enfer?

— Je ne crois pas en ces choses. Être libre et posséder mon propre cottage, c'est ça, le paradis.

Tout était dit. Elle était déjà au paradis. Pas étonnant qu'elle refusait d'envisager quoi que ce soit d'autre.

Elle m'a relancée en prenant un air solennel.

— Vous êtes une drôle de dame. Penser à des choses comme la mort.

— Vous n'y pensez pas?

— Non, jamais. Enfermée dans un cercueil enterré six pieds sous terre? Brrr.

— Nous allons tous mourir un jour.

— Vraiment, vous ne pensez qu'à ça, a-t-elle rétorqué avec agacement.

— Ne croyez-vous pas qu'il y a quelque chose en vous qui survit?

— Vous ne renoncez pas facilement, vous. Non, je ne le crois pas.

— Supposons qu'il y ait une vie après la mort, ai-je insisté.

Son visage fin s'est refermé :

— Je le saurai bien assez vite un jour.

Essayant de prendre un ton désinvolte, j'ai lancé :

— Peut-être que nous n'aurez plus à attendre très longtemps.

Elle m'a regardée, et je pouvais sentir la colère monter en elle.

— Ce serait le bouquet. Pas très longtemps, vous dites. Et je suppose que vous vous apprêtez à m'annoncer qu'en fait, je suis déjà morte.

— L'êtes-vous?

— Absolument pas. Sinon, je ne serais pas assise ici en train de discuter avec vous.

La vieille femme a dû penser que sa «logeuse» était une bien étrange personne pour dire de telles choses. Elle a même suggéré à Helen de consulter un médecin. Profitant de l'occasion pour aider la femme à prendre conscience de sa situation, Helen lui a demandé de l'aider à trouver un médecin. La femme est alors devenue confuse.

— Où puis-je en trouver un ?
— Vous ne connaissez pas de médecin dans les environs ?
— Cela fait des années que je n'en ai pas consulté un. En fait, je ne vois guère de monde depuis quelque temps.

Elle était hésitante, comme si le souvenir de temps plus anciens commençait à se frayer un chemin dans son esprit.

— En fait, vous ne voyez jamais personne, n'est-ce pas ? ai-je demandé.

Elle s'est levée brusquement pour me regarder du haut de son 1 m 50.

— Et pourquoi je devrais voir des gens ? J'ai tout ce qu'il me faut.

De nouveau, Helen lui a demandé d'appeler un médecin. Il était évident que la difficulté qu'éprouvait cette femme à répondre à cette demande l'ennuyait de plus en plus. Pour la première fois, elle commençait à sentir que quelque chose clochait. Inquiète, elle a disparu pour réapparaître quelques jours plus tard, admettant finalement qu'elle était incapable de trouver un médecin. Elle ne savait même pas où était situé le village. Elle était confuse et effrayée. Même si son monde illusoire commençait à s'écrouler, elle refusait toujours de voir la réalité en face.

— Êtes-vous en train d'essayer de me dire que je suis morte? Moi, morte? Mais je suis vivante! Je vous parle, n'est-ce pas? Les morts ne parlent pas.

Elle semblait trembler, et l'image qui s'était formée dans l'esprit d'Helen a commencé à s'embrouiller.

— Je me rappelle maintenant. Vous parliez sans cesse de la mort.

Elle était maintenant terrorisée; son image se transformait en brouillard.

— J'ai compris! C'est vous qui êtes *morte*. Vous devez être un fantôme.

Garçon est apparu à plusieurs reprises à Helen. Comme cette servante avait fait preuve de gentillesse à son endroit, il voulait lui venir en aide. Il voulait également aider sa mère. Il a expliqué à Helen ce qui était advenu de chacune après leur mort respective. La maîtresse n'avait hanté aucun lieu terrestre; toutefois, en raison de sa nature froide et insensible et du traitement cruel qu'elle avait infligé à son fils, elle n'avait fait aucun progrès. De son côté, la servante, très attachée à son petit cottage, qui représentait son rêve le plus cher, avait refusé de partir.

Un soir, Helen a réuni les deux esprits. Mentalement, elle a vu que la maîtresse ne reconnaissait pas ce fils qu'elle avait tant méprisé dans l'être brillant qui se trouvait devant elle. Elle a reçu son pardon ainsi que celui de la servante qu'elle avait si injustement traitée. Réconciliées, les deux femmes sont entrées dans la lumière.

Pourquoi les esprits deviennent des esprits terrestres

Pourquoi certains esprits se transforment-ils en esprits terrestres, alors que la vaste majorité ne le devient pas ? Pour l'expliquer simplement, je dirais que la mort est le passage entre une dimension terrestre et une dimension spirituelle qui s'effectue sur le plan de la conscience. Habituellement, cette transition se fait facilement et automatiquement dès le moment où la personne quitte son corps physique. Elle est alors accueillie par ses proches et malgré son étonnement de constater qu'il y a une vie après la mort, elle s'adapte rapidement pour entrer dans le monde qui l'attend.

Les esprits qui deviennent des esprits terrestres ne font pas cette transition. Leur conscience reste fermement ancrée dans le monde physique. Le monde spirituel demeure invisible à leurs yeux, tout comme il l'est pour nous ; de plus, les esprits qui s'y trouvent déjà sont incapables d'entrer en contact avec eux. Comme les esprits terrestres ne peuvent réintégrer le monde physique ou entrer dans le monde spirituel, ils demeurent prisonniers des limbes situés entre les deux.

Il est parfois difficile de comprendre pourquoi un esprit devient un esprit terrestre, tout comme il est difficile de comprendre pourquoi une personne peut mener une vie de rêve, alors qu'une autre vit une existence misérable. Dans l'un et l'autre cas, personne n'est responsable du sort qui lui est réservé. Il ne fait aucun doute que la cause première se trouve au plus profond du moi intérieur de cet esprit et ne concerne que lui et Dieu. Ce que nous pouvons affirmer avec une relative certitude, c'est que cet état n'est pas une punition pour des méfaits qu'un esprit aurait commis de son vivant. Ce n'est pas une question de moralité ou de justice, mais d'ignorance spirituelle.

Il est peu probable qu'une personne qui sait qu'il existe une vie après la mort devienne un esprit terrestre. Comme cette personne meurt en sachant qu'elle passera dans un autre monde, l'élément-surprise ne joue plus. De même, les individus dotés d'une sensibilité spirituelle ont rarement de la difficulté à faire la transition entre les deux mondes. Même si leur décès survient d'une manière traumatisante, leur esprit est déjà en harmonie avec la dimension spirituelle, et il s'y sent déjà chez lui. Les personnes sensibles sur le plan spirituel ne sont pas nécessairement des personnes pratiquantes, mais plutôt des êtres qui cultivent l'amour, la compassion pour autrui, la gentillesse et la générosité. Après leur mort, ces personnes peuvent choisir de ne pas quitter tout de suite les proches qui leur ont survécu, afin de les aider et de les réconforter, mais à la différence près qu'elles le font par choix, et non par incapacité à passer dans l'autre monde.

Par ailleurs, les personnes qui ont une vision matérialiste du monde et dont la philosophie de vie se résume à l'argent et aux biens matériels sont plus susceptibles de devenir des esprits terrestres en raison de leur attachement à des possessions auxquelles elles refusent de renoncer. Comme Alice, ces gens se forgent un monde de rêve où ils se réfugient pour poursuivre leur vie terrestre.

Même s'il arrive un moment où ces personnes prennent conscience qu'elles sont mortes, elles restent néanmoins insensibles au monde spirituel. Elles préfèrent demeurer proches des biens qu'elles chérissent, malgré la frustration de ne plus pouvoir en profiter et l'amertume qu'elles ressentent parfois envers les personnes vivantes qui les ont récupérées. Par exemple, un avare nourrira de la rancune envers la personne qui a hérité de son argent et continuera de rôder autour, frustré mais impuissant.

À la recherche des êtres aimés

Certains esprits terrestres conservent cet état parce qu'ils sont à la recherche d'êtres aimés qui sont décédés. Même si ceux-ci se trouvent parfois à côté d'eux, ces esprits ne peuvent les voir, parce qu'ils ne savent pas qu'il existe un monde spirituel. Dans le livre *True Hauntings*, la parapsychologue américaine Hazel Denning montre à quel point une telle existence peut être ennuyeuse.

Raymond travaillait dans une station de radio située à San Bernadino, en Californie. Quand il était de service le soir, il entendait souvent des bruits assourdissants, mais il hésitait à en parler à ses collègues par peur du ridicule. Puis, un jour, en présence de tout le personnel, une cassette qui se trouvait sur une étagère s'est mise à flotter dans les airs pour se poser doucement sur le plancher. Raymond a demandé de l'aide à Hazel Denning, qui a visité le studio en compagnie d'une médium du nom de Gertrude Hall. Gertrude a établi un contact avec un esprit prénommé Harvey qui a constaté avec étonnement qu'il était possible pour une personne de le voir. Par télépathie, il a raconté à Gertrude que l'immeuble abritait autrefois un duplex dans lequel il vivait. Il refusait de partir, car il attendait son fils disparu pendant la guerre, convaincu qu'il reviendrait un jour.

Lorsque Gertrude lui a demandé pourquoi il déplaçait des objets et effrayait les gens, il a répondu : «Savent-ils à quel point c'est monotone de rester ici à attendre mon fils ?»

Pour passer le temps, Harvey cherchait des moyens d'attirer l'attention des employés du studio, pour s'amuser ensuite de leurs réactions. La médium lui a expliqué qu'il n'était pas obligé de rester dans le studio et que s'il ouvrait son esprit à la dimension spirituelle, il pourrait retrouver son fils. Harvey était sceptique. Comme il croyait que le monde physique était la seule réalité, il ne pouvait accepter l'idée de sa propre mort. Toutefois, il a fini par se persuader de partir. Lorsque Hazel a communiqué avec Raymond une semaine après, ce dernier lui a confirmé que la situation était redevenue normale.

Les idées fixes et les habitudes

Les croyances enseignées par les religions institution-nelles sont ancrées si profondément dans notre conscience qu'elles restent même après la mort. Ces idées peuvent engendrer de la confusion chez un esprit lorsque ce dernier constate que le monde qu'il trouve est différent de celui auquel il s'attendait. Un chrétien persuadé qu'il se trouvera au ciel après sa mort sera perplexe et décontenancé de ne voir aucun ange jouant de la harpe. De même, les sauveteurs auront de la difficulté à réveiller de son sommeil une personne convaincue qu'elle reposera dans son cer-cueil jusqu'au jour du jugement dernier.

La peur est un autre facteur très important. Certains esprits refusent de passer dans l'autre monde par crainte d'être punis ou d'aller tout droit en enfer. Même si ce n'est pas le cas, cette croyance tenace et le sentiment de culpabilité qui l'accompagne les gardent prisonniers.

Il y a des cas d'esprits terrestres qui le sont demeurés pendant des siècles parce qu'au moment de leur mort, ils n'avaient pas reçu l'extrême onction d'un prêtre ou qu'ils n'avaient pas été enterrés dans une terre consacrée. Même si ces choses sont sans importance dans le monde spirituel, cela peut suffire à empêcher un esprit de se libérer. Si l'esprit est persuadé qu'il a besoin de la bénédiction d'un prêtre, il ne trouvera la paix que s'il la reçoit. Pour aider ces esprits à se libérer, les sauveteurs utilisent un esprit qui était un prêtre de son vivant, car l'esprit terrestre accepte l'autorité incarnée par un tel personnage.

Il existe enfin beaucoup d'esprits terrestres comme Alice ou la servante qui sont si absorbés par la routine monotone de leur vie quotidienne qu'ils continuent, par la seule force de l'habitude, de vivre comme ils le faisaient auparavant. Ces esprits ne connaissent rien d'autre, car de leur vivant, ils n'essayaient jamais de voir ce qui pouvait se trouver au-delà de l'horizon. Une fois mort, c'est la même chose qui se perpétue.

Les «mauvais» esprits

Les esprits terrestres les plus troublants sont semblables à l'homme qui hantait la résidence d'étudiants. Ils sont emprisonnés par ignorance ou par refus d'apprendre et de progresser. Ils préfèrent rester là où ils sont, parce que c'est là où ils se sentent le plus à l'aise. Dans la plupart des cas, les esprits de ce genre ne sont pas aussi mauvais qu'ils peuvent le sembler à première vue. En fait, ce sont des âmes perdues qui ont seulement besoin d'un peu d'amour et d'attention. Toutefois, comme je vais le décrire dans le chapitre suivant, ils sont capables de faire des ravages dont seront victimes les malchanceux qui vivent dans la même maison.

5

Des locataires encombrants

Un esprit perturbateur est comme un enfant en colère qui essaie d'attirer l'attention en frappant du pied. Habituellement, il arrive à ses fins. Ces esprits peuvent gâcher la vie des personnes qui cohabitent avec eux, non seulement en faisant sentir leur présence, mais également en s'insinuant dans leur esprit, les amenant ainsi à adopter des comportements inhabituels.

Dans le chapitre précédent, je vous ai parlé d'Alice, la vieille dame qui vivait dans la maison d'Ann et que nous avions réussi à libérer. Peu de temps après, Ann a de nouveau pris contact avec moi. Un autre esprit, cette fois beaucoup moins amical, s'était manifesté dans sa maison. Ses fils sentaient la présence de ce personnage. Philip, qui était particulièrement sensible, se plaignait du «vieil homme» dérangeant qui se trouvait dans sa chambre. Un autre de ses fils avait senti une présence à la respiration lourde le frôler en ouvrant la trappe menant au grenier. La surprise avait été telle qu'il était tombé en bas de l'échelle !

Je me suis de nouveau rendue chez Ann, qui m'a raconté en détail ce qui était en train de se passer.

— Après avoir libéré la vieille dame, la maison a cessé d'être hantée. Puis, récemment, nous avons tous senti une présence masculine qui alourdissait l'atmosphère. J'ai essayé de lui envoyer de la lumière, mais il a refusé de bouger. Philip est de plus en plus effrayé.

Cet esprit avait eu un impact négatif non seulement sur lui, mais sur tous les autres membres de la famille. Par exemple, même s'ils se querellaient à l'occasion comme tous les enfants le font, ses fils s'accordaient bien entre eux. Or, ces derniers temps, les disputes avaient pris un ton acerbe plutôt inhabituel. L'esprit semblait s'en prendre particulièrement à Philip. Un garçon au tempérament habituellement calme et paisible, il en était venu aux coups avec un camarade de classe, une première dans son cas. Un autre membre de la famille qui était particulièrement sceptique quant à l'existence des esprits avait également été perturbé. Comme la plupart d'entre nous, il aimait à l'occasion prendre un verre de vin pendant le repas, mais sans jamais dépasser la mesure. Depuis que l'esprit s'était manifesté, il buvait beaucoup plus qu'à l'habitude, sans pouvoir en expliquer la raison.

Quand je suis entrée en contact avec l'esprit, j'ai découvert que contrairement à Alice, le vieil homme avait parfaitement conscience de la situation. J'ai demandé à mes guides de m'en dire davantage. Ils m'ont révélé que cet homme n'avait aucun lien avec la maison. Un habitué des pubs, il était entré dans la maison sans y avoir été invité.

Cet esprit était du genre récalcitrant. C'était un homme amer et frustré dont la présence amplifiait les légers désaccords qui survenaient entre les enfants, ce qui expliquait leurs comportements malsains. Cet homme était également un alcoolique qui avait poussé l'autre membre de la famille à boire. Ann et moi avons essayé la persuasion, mais l'esprit refusait de bouger. C'est alors que les guides sont intervenus. Il arrive à l'occasion qu'ils expulsent les esprits perturbateurs pour les empêcher de nuire aux êtres vivants. D'ailleurs, les guides n'entendent pas à rire avec les situations de ce genre et ils n'hésitent pas à «prendre les délinquants par le collet», si je puis m'exprimer ainsi. Après leur intervention musclée, inutile de préciser que cette famille a pu reprendre une vie normale.

La dame en brun

Les spécialistes dans le domaine psychique sont constamment à la recherche de fantômes à observer et ils n'hésitent pas à parcourir de grandes distances pour examiner un cas jugé prometteur. Or, ces experts ignorent parfois des phénomènes psychiques qui se trouvent tout juste sous leur nez. Montague Keen, un chercheur et un auteur de renom décédé en 2004, avait consacré sa vie à l'étude de la parapsychologie, et son expertise était reconnue à travers le monde. Pourtant, lorsque sa femme, Veronica, lui avait dit que leur maison située dans le nord de Londres était hantée, Montague, que ses amis surnommaient Monty, avait refusé de le croire. Veronica m'a raconté comment cela s'était passé.

— Nous avions senti que cette maison était pour nous en franchissant le pas de la porte. Il y avait cependant beaucoup de rénovations à entreprendre pour qu'elle réponde à nos besoins. Quand nous avons emménagé, j'ai senti que nous n'étions pas seuls. À trois ou quatre reprises, j'ai aperçu une dame. Elle était vêtue en brun et ne possédait pas une forme solide. Par ailleurs, nous éprouvions sans cesse des problèmes avec l'électricité et l'eau. Nous avons appelé des électriciens et des plombiers à de nombreuses reprises, mais aussitôt les problèmes corrigés, ils réapparaissaient. Malgré cela, Monty refusait de croire que la maison était hantée.

» Monty avait fixé un porte-bouteilles de vin sur un des murs du garage. Un jour, en entrant dans le garage, il a vu que son porte-bouteilles avait été arraché du mur. Les bouteilles étaient éparpillées sur le plancher. Certaines étaient cassées. J'avais ma preuve! Nous avons appelé nos amis Michael et Jenny Aytes, qui sont médiums.

» Le jour de leur visite, je me suis comportée d'une façon inhabituelle et vraiment désagréable pour Monty. J'adorais Monty et jamais je ne lui aurais parlé de cette façon. Je m'entends encore lui dire ces horribles choses, mais on aurait dit que ces mots sortaient de ma bouche contre mon gré. Je hurlais : "Je suis prisonnière de cette satanée maison. Je ne peux pas sortir!" C'était horrible, et Monty a cru que j'avais perdu la tête. Il était très inquiet, et il lui a fallu du temps pour comprendre que ce n'était pas moi qui criais.

» C'est à moment que Michael et Jenny sont arrivés. Jenny est entrée en contact avec l'esprit, qui s'appelait Winifred Joyce. Winifred était confuse mentalement et elle croyait qu'elle vivait toujours dans sa maison et que Monty et moi étions ses locataires. Elle avait une sainte horreur de l'alcool. Elle nous a dit à travers Jenny : "Il n'y aura pas d'alcool dans cette maison!" C'est pour cette raison qu'elle avait arraché le porte-bouteilles du mur.

» Winifred était en colère parce que nous étions en train de rénover sa maison. Elle nous accusait de détruire son sanctuaire. Je ne comprenais pas ce qu'elle voulait dire.

» Jenny lui a parlé pour lui dire d'aller vers la lumière. J'ai senti que l'esprit refusait d'y entrer. Jenny a ajouté qu'elle allait retrouver sa famille, et son attitude a alors changé. Elle a dit : "Voici Tom !", puis elle est partie.

» Par la suite, en parlant aux voisins, j'ai appris qu'une femme qui était toujours vêtue en brun avait vécu dans notre maison. Il y avait aussi une pièce qu'elle appelait son "sanctuaire".

Monty et Veronica pensaient être tirés d'affaire, mais trois semaines après, Veronica a eu la désagréable surprise de sentir une autre présence dans la maison.

— J'ai dit à Monty qu'il y avait un autre esprit. Cette fois, je sentais qu'il s'agissait d'un homme. Les problèmes de plomberie ont recommencé. Le carrelage de la salle de bain a été abîmé avec un outil puissant. J'ai dit à Monty qu'il fallait rappeler Jenny et Michael.

Encore une fois, Veronica a commencé à se comporter d'une manière excentrique, comme si un esprit s'était emparé d'elle.

— Monty voulait sortir pour aller dans le jardin. Je me suis accrochée à lui en pleurant et en l'implorant de ne pas me laisser seule ! Il m'a répondu qu'il n'en avait que pour quelques minutes et que je pourrais le voir à travers la fenêtre. Il m'a conseillé d'aller m'étendre un instant, mais je lui ai dit que je serais incapable de fermer l'œil. J'étais terrifiée et transie de peur, de la ceinture jusqu'au bout des orteils.

» Quand Jenny est arrivée, elle a senti la présence de cet homme, qui s'appelait Al. Il était immergé dans l'eau jusqu'à la taille en s'accrochant désespérément. Épuisé, il avait lâché prise et s'était noyé. Apparemment, il vivait et était mort dans les environs. C'est en passant devant notre maison qu'il avait vu de la lumière et était entré pour demander de l'aide.

» Jenny a été capable de le libérer. Peu de temps après, il a profité de la présence d'un autre médium pour nous remercier et nous dire à quel point il était heureux.

Les esprits frappeurs

Les esprits destructeurs capables de faire virevolter les objets sont appelés «esprits frappeurs». On utilise aussi le mot allemand *poltergeist*, qui signifie «esprit bruyant». L'esprit frappeur est probablement le phénomène psychique qui a été le plus étudié jusqu'à ce jour, mais il reste encore beaucoup à apprendre à son sujet. Certains chercheurs affirment que les esprits frappeurs sont différents des fantômes «réguliers», mais je ne crois pas que ce soit le cas. Chaque fois que j'ai eu l'occasion d'entrer en contact avec un esprit frappeur, il s'est avéré, à peu de choses près, semblable à un esprit terrestre, sauf qu'il a une façon bien à lui de manifester sa présence.

L'activité d'un esprit frappeur peut varier en intensité. Il peut s'agir de phénomènes bénins comme des bruits de pas et de menus objets déplacés à des manifestations plus violentes qui peuvent être terrifiantes. Heureusement, de tels coups d'éclat sont exceptionnels, et je n'ai jamais été témoin de manifestations vraiment effrayantes. Toutefois, ce qui est apeurant pour l'un ne l'est pas nécessairement pour l'autre. Je connais des gens qui sont excités à l'idée d'avoir un fantôme capable de produire des bruits de pas ou d'ouvrir et de fermer une porte. Il faut reconnaître qu'il est difficile de garder son sang-froid quand les objets commencent à se déplacer dans tous les sens, comme cela est arrivé à une cliente.

Un esprit métayer

Pam avait été enthousiasmée par sa nouvelle demeure dès le tout premier jour où elle s'y était installée, et ce, même si cette maison avait besoin de beaucoup de rénovations. Pour faire des économies, Pam s'était mise elle-même à la tâche, n'embauchant des ouvriers que pour les travaux les plus difficiles.

Au bout de quelques jours, Pam avait senti une présence. Ses chiens l'avaient également ressentie, comme en témoignait leur comportement nerveux et agité. Il régnait dans la chambre de Pam une atmosphère froide et lugubre. La nuit, elle entendait les cintres s'entrechoquer dans sa penderie. Un jour, en rentrant à la maison après s'être absentée quelques heures, elle s'était aperçue qu'un lourd coffre avait été déplacé.

Comme si ce n'était pas assez, la situation avait empiré quand elle avait commencé les travaux dans le hall d'entrée pour y aménager une salle de bain. Les problèmes avaient d'abord touché la tuyauterie que le plombier venait d'installer. Chaque fois qu'il réglait les problèmes, ceux-ci réapparaissaient aussitôt. Malgré les retards qui s'étaient accumulés, le plombier avait finalement réussi à terminer les travaux. Il venait à peine de sortir de la pièce qu'un bruit assourdissant avait résonné dans toute la maison. Pam avait accouru pour voir ce qui s'était passé, pour constater que tous les carreaux de sa nouvelle salle de bain avaient été arrachés du mur.

Le plombier avait pris ses jambes à son cou et n'était jamais revenu. Pam était d'une autre trempe. C'était une femme qui n'avait pas froid aux yeux, sans compter qu'elle était douée sur le plan psychique. Résolue à ne pas s'en laisser imposer par un esprit, elle m'avait appelée. Quand je suis entrée dans sa chambre pour communiquer avec l'esprit, j'ai senti la présence d'un homme d'âge moyen vêtu de haillons qui utilisait un bout de corde en guise de ceinture. Il avait été métayer sur la ferme qui existait autrefois sur ces terres et avait habité le cottage de Pam. Comme la nouvelle propriétaire ne lui plaisait pas, il voulait la chasser des lieux.

Il est très important pour moi, comme pour tous les médiums qui effectuent une opération de sauvetage, d'avoir une confiance aveugle envers mes guides pour me protéger. Un esprit capable d'arracher des carreaux sur un mur ne doit pas être pris à la légère. Mes guides m'ont rassurée en me disant que Pam et moi ne courrions aucun danger. En utilisant des termes compréhensibles pour un être humain, ils m'ont expliqué la situation. Cet homme avait été très seul vers la fin de sa vie. Il n'avait plus de famille et n'avait pas d'amis. Son mauvais tempérament, qu'il montrait encore à ce moment, l'avait isolé des autres. Il avait sombré dans la dépression et trouvait son seul réconfort dans l'alcool. Toutes ses pensées étaient centrées sur sa routine monotone. Il ignorait tout du concept de vie après la mort. Il était décédé le cœur rempli de colère et d'amertume envers tous ceux qu'il côtoyait et avait conservé dans la mort ce même état d'esprit.

J'ai demandé aux guides si cet homme avait conscience qu'il était mort. Ils m'ont dit qu'au fond de lui, il le savait, mais qu'il était confus. Son esprit vivait en partie l'instant présent et s'opposait aux changements que Pam apportait à « sa » maison. Une autre partie de son esprit vivait encore dans le passé. J'ai eu mentalement l'impression qu'il se tenait debout à une fenêtre à regarder ce qui était autrefois, à l'époque où il était vivant, des champs cultivés et j'ai eu pitié de lui.

En pensée, j'ai dit à cet esprit qu'il était temps de quitter cette maison pour aller dans un endroit meilleur pour lui. Ma gentillesse et ma sollicitude ont semblé le toucher. J'imagine que de son vivant, personne n'avait manifesté autant d'égard à son endroit. J'ai ajouté que des guides étaient venus pour l'aider et qu'il devrait entrer dans la lumière. En prononçant ces mots, j'ai senti qu'il voyait une lumière apparaître devant lui et une femme, peut-être sa femme ou sa fille, aller à sa rencontre.

Toute sa colère s'est dissipée : « Ça alors ! » Ses mots ont résonné dans ma tête comme s'il avait peine à en croire ses yeux. Puis, il est parti. Avant de partir, il a lancé : « Dites à la dame que je suis désolé de l'avoir effrayée. »

L'énergie psychique

Dans cet exemple, comme dans beaucoup d'autres, il ne s'agissait pas d'un esprit malicieux, mais simplement d'un esprit frustré qui appelait à l'aide en utilisant le seul moyen qu'il connaissait. Heureusement pour lui, Pam était une femme compréhensive et une fois qu'elle a compris à quel point sa situation était désespérée, elle a cherché à lui venir en aide. Elle voulait aussi découvrir l'origine de cette étonnante énergie qu'il avait été en mesure de déployer.

✧ 91 ✧

C'est d'ailleurs un des mystères qui entourent les esprits frappeurs. Guy Lyon Playfair, une sommité en ce domaine, admet sans détour que personne ne le sait avec certitude. « Tout ce que nous savons, c'est que les esprits frappeurs peuvent faire des choses incroyables comme faire léviter des êtres humains, faire passer des objets solides à travers des portes ou des murs (ou donner l'impression qu'ils le font), lancer des objets dans les airs, déplacer des objets trop lourds pour une personne seule. Ce sont des phénomènes inexplicables du point de vue de la physique ou de la biologie. Et pourtant, ils peuvent durer pendant des heures. »

Il semble qu'une des principales sources d'énergie utilisées par les esprits frappeurs provient des personnes qui vivent dans la maison. Tous les médiums, y compris ceux qui ignorent l'être, dégagent une énergie que les esprits peuvent récupérer. Ces personnes peuvent involontairement déclencher des phénomènes psychiques. Par ailleurs, les enfants, qui sont souvent des médiums naturels, en sont une autre source. Même les maisons possèdent également une énergie résiduelle qui provient du passé.

Les lignes telluriques négatives, les nappes d'eau souterraines et les lignes aériennes d'électricité sont d'autres sources possibles d'énergie. Selon Guy, même si ces sources peuvent alimenter un esprit frappeur, cela ne signifie pas qu'une maison pourvue en eau et en électricité sera automatiquement hantée par un esprit frappeur!

Cependant, il estime — et je suis complètement d'accord avec lui sur ce point — que l'apparition d'un esprit frappeur dans une maison est le symptôme d'une mésentente entre ses occupants. Les esprits perturbés sont attirés par cette tension. Alimentés par les émotions des habitants de la maison, ils gagnent en puissance, ce qui à son tour ravive les tensions.

Les esprits frappeurs et les enfants

Comme les enfants sont une source d'énergie, les esprits frappeurs ont plus tendance à se manifester en présence d'enfants qui sont à l'âge de la puberté. Une des théories les plus en vogue chez les parapsychologues est que les préadolescents, en particulier ceux qui nourrissent de la colère ou du ressentiment, génèrent de manière inconsciente une grande quantité d'énergie cinétique. Ce sont ces émotions refoulées qui seraient à la base du phénomène.

Il est vrai que dans certains cas, une fois réglés les conflits cachés, les manifestations cessent. Pour les parapsychologues, c'est la preuve que les enfants en sont la cause. Pour ma part, je crois que cela indique simplement qu'une fois leurs conflits internes résolus, les enfants cessent de produire l'énergie perturbante qui alimente l'esprit.

Pour Guy, la théorie de l'énergie cinétique ne parvient pas à elle seule à expliquer les prouesses dont sont capables les esprits frappeurs. Il estime, et tous les médiums seront d'accord avec lui, que s'il est vrai que les enfants émettent une énergie, ce genre de phénomène se produit seulement parce qu'une entité la récupère à ses propres fins.

Il préfère utiliser le mot « entité » plutôt qu'« esprit » pour désigner un esprit frappeur, car ce mot n'implique pas nécessairement qu'un individu soit décédé. Il reconnaît toutefois que ces entités semblent dotées d'une certaine forme d'intelligence. « Les esprits frappeurs se comportent comme s'ils étaient des entités indépendantes, ce qu'ils sont probablement », déclare-t-il. Il cite en exemple le célèbre cas de l'esprit frappeur d'Enfield, qui avait fait l'objet d'une enquête en 1977. Il s'agissait d'une famille vivant au nord de Londres qui, depuis des mois, était témoin de manifestations vicieuses et terrifiantes. L'enfant qui semblait être à l'épicentre de cette activité, prénommée Janet, avait raconté à plusieurs reprises que des « mains froides » l'avaient empoignée pour la jeter en bas du lit. Elle prétendait également entendre la voix d'un homme qui faisaient des affirmations qui se sont confirmées par la suite, par exemple qu'il était devenu aveugle et qu'il était décédé dans son fauteuil. En effet, Janet ne pouvait savoir que c'était précisément ce qui était arrivé au propriétaire précédent de la maison.

La plomberie et l'électricité

Les problèmes de plomberie sont un phénomène très fréquent, comme nous l'avons vu dans les cas de Pam et du couple Veronica et Monty. Il existe un lien mystérieux entre l'énergie psychique et l'eau. D'ailleurs, on trouve parfois des flaques d'eau près des endroits où sévissent des esprits frappeurs. Curieusement, ces flaques ne se répandent pas sur le plancher comme l'eau le fait habituellement, mais elles forment une masse compacte aux contours bien définis. Pour expliquer ce phénomène, Guy Lyon Playfair prétend que l'énergie utilisée par l'esprit se concentre pour former des «bulles»; lorsque la bulle éclate, l'énergie se condense et forme des flaques.

Il existe également un lien entre l'énergie électrique et les manifestations psychiques. Les interférences avec les appareils électriques sont des problèmes fréquents dans les maisons hantées; par exemple, les lumières peuvent vaciller ou les téléviseurs changer automatiquement de chaînes. Souvent, les personnes qui mènent des enquêtes dans les maisons hantées se plaignent du mauvais fonctionnement de leurs appareils.

Selon Guy, «les esprits frappeurs possèdent un répertoire plutôt limité, et on peut supposer qu'ils vont toujours vers le plus facile. Éteindre un appareil électrique ne demande pas un grand effort. De plus, comme il y a de l'électricité en abondance, chaque source d'énergie qui s'ajoute crée inévitablement des interférences. »

Les esprits frappeurs et les chambres à coucher

Les esprits frappeurs semblent avoir une fascination pour les chambres à coucher et l'ameublement que l'on trouve habituellement dans ces pièces. Le plus souvent, ils secouent les lits dans tous les sens ou arrachent les vêtements de nuit. Ils peuvent même précipiter des personnes au bas de leur lit ! Ce phénomène peut s'expliquer ainsi : quand nous sombrons dans le sommeil et que notre esprit quitte momentanément notre corps, nous libérons de l'énergie. D'ailleurs, plusieurs phénomènes psychiques se produisent durant le sommeil et l'éveil.

J'ai déjà vécu une situation de ce genre. Je séjournais alors chez une amie qui habitait dans un cottage situé dans un secteur isolé. Elle avait préparé un lit pour moi dans une pièce au rez-de-chaussée. Alors que j'allais m'endormir, j'ai senti une main invisible qui tirait sur mes vêtements de nuit. Je me suis assise et j'ai allumé la lampe. Il n'y avait personne dans la pièce, sauf qu'il faisait très froid. À cette époque, comme j'ignorais tout des esprits terrestres, j'ai récité une prière et je me suis recouchée. Le phénomène a recommencé. Je n'ai pas très bien dormi, cette nuit-là.

Au matin, mon amie m'a avoué qu'elle avait oublié de me dire que sa maison était hantée. Je n'ai jamais su qui était ce fantôme — et je n'ai pas cherché à le savoir non plus !

John et Sharon, qui appartiennent à la famille d'un de mes clients, vivent dans le Staffordshire, où ils ont acheté une maison ayant appartenu à un couple âgé. La femme de ce couple était décédée dans la maison. Son mari avait alors été placé dans une résidence pour personnes âgées où il était décédé peu de temps après. Au moment d'emménager dans la maison, John et Sharon n'avaient rien remarqué de particulier. Toutefois, après avoir entrepris des rénovations, Sharon avait commencé à se sentir nerveuse et mal à l'aise, et elle évitait de rester seule. Même les chiens avaient un comportement étrange et semblaient, eux aussi, mal à l'aise. Pour se rassurer, Sharon les faisait dormir dans sa chambre.

Une nuit, le couple s'est réveillé et a vu que les portes d'une penderie avaient été ouvertes. Quelques jours plus tard, de retour d'une visite chez des amis, ils ont vu que c'était la penderie elle-même qui avait été retournée, portes face au mur. Comme c'était une petite chambre, il était impossible de retourner ce lourd objet sans le soulever pour le faire passer au-dessus du lit.

John a compris intuitivement que le responsable de ce brouhaha était l'ancien propriétaire, mais Sharon hésitait à appeler un médium. John en a parlé à sa sœur qui avait déjà eu maille à partir avec un esprit. Son conseil était simple : « Dis-lui de s'en aller ! » C'est ce que John a fait, et les problèmes ont cessé. L'esprit en a peut-être conclu qu'il n'était pas le bienvenu et il est parti, même s'il avait été préférable qu'un médium intervienne pour le libérer.

Le quartier du cimetière

Avoir un esprit terrestre dans sa maison est déjà une nuisance, en avoir plusieurs peut mener tout droit à la dépression nerveuse. Dans son livre *Grave's End*, Elaine Mercado raconte l'expérience qu'elle a vécue au moment où elle vivait dans une maison hantée située dans le district de Brooklyn appelé à juste titre « *Grave's End* » (N.d.T : Le quartier du cimetière).

La vieille maison abandonnée était la propriété d'un couple d'âge mûr. Au sous-sol, il y avait un logement occupé par les parents âgés du propriétaire. Incapable, après plusieurs mois de recherche, de trouver un endroit abordable où loger, Elaine s'était rabattue sur cette maison en faisant fi de son air lugubre. Enfin trouver une demeure avait été un soulagement pour Elaine, son mari et ses filles, Karin et Christine.

Toutefois, le couple âgé avait refusé de vider les lieux ou même de permettre à Elaine de visiter leur logement. Lorsqu'ils ont finalement accepté de partir, Elaine a pu visiter le sous-sol. À sa grande surprise, elle a constaté que le logement occupait moins du tiers de la longueur totale de la maison. Les voisins lui ont appris que la maison avait déjà été déplacée tout d'un bloc d'un endroit situé au coin de la rue. Comme le reste de la fondation n'avait pas été excavé en totalité, les deux autres tiers étaient occupés par une espèce de cave où on pouvait à peine se tenir debout. Deux portes y donnaient accès.

Elaine utilisait cette cave comme buanderie, mais dès qu'elle pénétrait à l'intérieur, elle avait la désagréable impression d'être observée. Elle craignait de se trouver seule dans cet endroit, sans compter qu'elle avait commencé à entendre des bruits étranges ailleurs dans la maison. Comme elle ne croyait pas aux phénomènes surnaturels, elle a décidé de ne plus y accorder d'attention. C'est alors qu'elle a commencé à avoir des rêves angoissants. Dans ses rêves, elle était en proie au plus grand effroi, car elle était incapable de bouger en raison d'une pression qui s'exerçait sur sa poitrine et qui finissait par s'étendre à son corps tout entier. Au même moment, elle sentait une présence dans sa chambre. Elle savait qu'il ne s'agissait pas de la paralysie du sommeil. Elle en a parlé à ses filles, qui lui ont confié avoir eu les mêmes rêves.

Le temps a passé, et le phénomène s'est amplifié : bruits de pas, mauvaises odeurs, boules de lumière, brouillard sortant de nulle part. Une tension de plus en plus grande régnait dans la maison. Elaine savait que quelque chose ne tournait vraiment pas rond, mais elle ne savait pas à qui demander de l'aide. La situation a perduré pendant une dizaine d'années, période durant laquelle Elaine a vécu un divorce. Il y avait parfois des périodes d'accalmie où rien ne se passait, puis les manifestations reprenaient de plus belle. Les cauchemars empiraient également. Le manque de sommeil et la peur l'épuisaient. Les filles étaient aussi perturbées que leur mère et souvent, elles dormaient toutes les trois, habillées des pieds à la tête et les lumières allumées. Pourtant, Elaine ne soufflait mot à personne de ce qui se passait dans sa maison.

Elle a fini par rencontrer quelqu'un à qui elle s'est confiée. Ce nouveau conjoint l'a écoutée avec incrédulité mais sympathie, puis il a appelé le parapsychologue Hans Holzer, qui avait mené plusieurs enquêtes sur des cas d'esprits frappeurs. Holzer a visité la maison en compagnie de la médium Marisa Anderson, qui a finalement réussi à percer le mystère. Marisa avait immédiatement senti que la source du problème se trouvait dans la cave. Elle y est descendue et s'est assise à l'intérieur. Elle a raconté ensuite qu'elle avait senti la présence de cinq hommes qui avaient été enterrés vivants au milieu des années 1880. Ces hommes étaient en train de creuser un tunnel qui passait sous les maisons du quartier lorsqu'un effondrement s'était produit. Les hommes étaient morts par suffocation. Certains d'entre eux, qui avaient agonisé pendant cinq jours, refusaient de croire qu'ils étaient morts. Ils étaient confus et en colère et demandaient de l'aide.

Selon Marisa, ces hommes avaient essayé de communiquer leurs émotions du mieux qu'ils avaient pu. Les sensations d'oppression et de suffocation qu'Élaine et ses filles avaient ressenties correspondaient à ce que les esprits avaient éprouvé au moment de leur mort, ce qui expliquait les cauchemars.

Marisa a invité ces esprits à entrer dans la lumière et a répété la phrase à plusieurs reprises, jusqu'à ce qu'ils comprennent et commencent à réagir. Pendant trois heures, elle leur a parlé, jusqu'à ce que le dernier accepte de partir, puis elle a nettoyé la maison de fond en comble. Le calvaire d'Élaine et de ses filles était enfin terminé.

Cette famille avait souffert pendant longtemps en raison de la sévérité du phénomène et du fait qu'elle ignorait qu'un médium pouvait les aider à résoudre leur problème. À moins d'être très malchanceux, vous ne vivrez pas une expérience aussi terrifiante dans votre maison. Toutefois, si quelque chose d'inexplicable se produit à l'endroit où vous vivez, posez-vous la question suivante : «Ma maison est-elle hantée?». Je vais maintenant vous expliquer comment déterminer si c'est le cas et que faire pour y remédier.

6

Votre maison est-elle hantée?

Votre maison est-elle hantée? S'il s'agit d'un esprit frappeur, vous connaissez déjà la réponse à cette question. Même le plus endurci des sceptiques aurait de la difficulté à expliquer par quel prodige les tiroirs d'une commode peuvent voler dans les airs ou comment un porte-bouteilles de vin peut être arraché du mur sans intervention extérieure apparente. Si vous avez déjà senti une présence, entendu un bruit étrange ou vu quelque chose d'inhabituel, il se peut que votre maison soit habitée par un esprit. Même s'il ne se passe rien du genre, vous avez peut-être la vague impression qu'un «truc cloche» dans votre maison. Dans un tel cas, il existe plusieurs explications possibles.

Dans le chapitre 3, j'énumérais divers facteurs à considérer. Voici un bref rappel.

Les causes naturelles

Chaque maison, et particulièrement les vieilles demeures, produit des sons caractéristiques comme des bruits de charpente ou de tuyauterie. Une fenêtre mal ajustée peut expliquer pourquoi une pièce est plus froide que les autres. Une odeur suspecte peut avoir pour origine un problème de drainage. Même si ces causes sont souvent les premières qui viennent à l'esprit pour expliquer de tels phénomènes, il est étonnant de constater à quel point les gens oublient de faire les vérifications de base. Vous devez vous fier à vos intuitions. Si, après avoir éliminé les causes possibles, votre avez toujours l'impression qu'il y a quelque chose d'anormal dans votre maison, il est probable que vous ayez raison.

L'énergie négative

Comme je l'expliquais, il existe plusieurs sources d'énergie négative. Il peut être utile de poser des questions aux voisins sur les anciens occupants de la maison. (Vous devrez probablement procéder avec discrétion. Suggérer qu'une maison est hantée ne se glisse pas aisément dans une conversation!) De plus, faites preuve d'honnêteté pour reconnaître et régler les mésententes, les tensions ou les difficultés émotionnelles qui peuvent exister au sein de votre famille.

Une fois ces possibilités éliminées, essayez de remonter dans le temps pour trouver la cause possible du problème. Fouillez dans le passé de la maison et du terrain où elle a été construite. Faites une recherche à la bibliothèque locale pour trouver de l'information sur les événements qui sont survenus à cet endroit et qui pourraient avoir laissé une trace d'énergie.

L'énergie terrestre négative

Qu'en est-il de l'énergie terrestre négative ? À moins d'être un expert en la matière, ce type d'énergie est difficile à détecter. L'énergie terrestre peut être positive ou négative. Quand vous vous trouvez dans un endroit où l'énergie est positive, vous vous sentez bien. Cette énergie stimulante est propice aux activités spirituelles comme la guérison et la méditation, car le voile qui sépare les mondes est plus mince dans les endroits où cette énergie est positive, ce qui facilite la communication spirituelle. Si votre maison est située dans un secteur où l'énergie terrestre est positive, vous avez de la chance, car il est probable que vous meniez une vie heureuse et harmonieuse. Les activités psychiques qui peuvent s'y produire sont d'une nature agréable ; par exemple, il vous sera possible de sentir la présence des êtres aimés qui sont passés dans l'au-delà.

À l'inverse, une maison située à un endroit où l'énergie est négative est une source perpétuelle de malaise. Même une maison ensoleillée et joliment décorée semblera sombre et lugubre. Les personnes qui l'habitent se sentiront souvent fatiguées et sans énergie. Elles souffriront davantage de maladies ou d'infections mineures, et même graves dans certains cas. Elles seront victimes de mauvais coups du sort et se plaindront que tout va de travers dans leur vie. Si cette description correspond à votre situation, l'énergie négative peut en être la cause.

La purification

Quelle que soit la cause du problème auquel vous vous heurtez, il est conseillé de commencer par une purification, c'est-à-dire de purifier l'énergie de la maison pour éliminer sa négativité. La maison peut ainsi retrouver son éclat et sa fraîcheur. Cette démarche permet souvent de résoudre le problème complètement ou à tout le moins de préparer le terrain pour tout autre moyen que vous pourriez utiliser.

La première étape d'une purification consiste à nettoyer la maison de fond en comble. Refaites la décoration au besoin. Débarrassez-vous des objets inutiles. Pour obtenir d'autres conseils, consultez un livre sur la purification (il y en a d'excellents sur le marché).

Vous pouvez également retenir les services d'un spécialiste du feng shui. Le feng shui s'intéresse aux champs d'énergie subtils de la maison et du terrain où elle a été érigée. Un professionnel compétent sera capable de déterminer la cause de la négativité et de procéder à un rééquilibrage de l'énergie. Cette personne pourra également localiser l'énergie terrestre négative qui a un effet néfaste sur la propriété. Ces effets peuvent être éliminés. De plus, ce spécialiste vous donnera des conseils sur l'aménagement intérieur, l'utilisation de couleurs spécifiques dans la décoration et les autres moyens susceptibles d'améliorer l'harmonie dans votre maison.

Comment procéder à une purification

Voici une technique simple et très efficace qui vous aidera à purifier l'énergie de votre maison. J'ai enseigné cette technique à beaucoup de personnes qui ont été en mesure d'apporter des changements subtils mais notables à leur demeure. Il suffit de mettre à contribution les forces de la lumière et de faire appel à son intuition et à la puissance de son esprit.

Il existe différents accessoires qui, sans être indispensables, peuvent être utiles. En voici quelques exemples :

♦ Des chandelles (et des allumettes, bien entendu !). La chandelle est un symbole ancien de lumière et de pureté.

♦ De l'encens ou des huiles aromatiques qui servent à nettoyer et à purifier. Le bois de santal est particulièrement efficace.

♦ De la sauge. Il s'agit d'une technique ancienne utilisée par les Amérindiens. La sauge est attachée en petits paquets que l'on allume pour produire une fumée à l'odeur sucrée.

♦ Des fragrances en aérosol. Les boutiques spécialisées dans le domaine du nouvel âge offrent une variété de fragrances vendues en aérosol.

♦ Cloches. Vous pouvez utiliser une clochette ou un bol tibétain. Le bol tibétain produit un son très beau et pénétrant, lorsqu'on frotte le rebord avec un bâtonnet ou une baguette.

Utilisez l'accessoire avec lequel vous vous sentez le plus à l'aise. Il n'est pas nécessaire de les employer tous. Une fois le matériel rassemblé, voici comment procéder.

Les étapes à suivre pour purifier l'énergie d'une maison

♦ Choisissez un moment où vous êtes sûr de ne pas être dérangé. Prévoyez y consacrer une heure ou deux. S'il y a des membres de votre famille désireux de participer, vous pouvez les inviter à se joindre à vous. Sinon, attendez d'être seul à la maison.

♦ Pour commencer, récitez une prière. Vous pouvez prier Dieu, Jésus ou un maître spirituel. Tout ici est une question de choix individuel. Vous pouvez aussi invoquer la lumière ou les anges. Vous devez diriger vos pensées vers la source de bonté, de sagesse et de puissance avec laquelle vous vous sentez le plus à l'aise. Si vous ressentez l'existence des guides spirituels, mettez-les à contribution.

♦ Commencez par la pièce qui, selon vous, a le plus besoin de purification. Sinon, choisissez la pièce que vous et votre famille utilisez le plus. Allumez votre chandelle, si vous en utilisez une, ou faites brûler l'huile, l'encens ou la sauge.

♦ Placez-vous debout au centre de la pièce. Respirez profondément à quelques reprises pour vous détendre. Essayez de sentir l'énergie dans la pièce. Qu'est-ce qui perturbe cette pièce ? Par exemple, l'atmosphère est-elle lourde ou sans harmonie ? Vous sentez-vous nerveux, mal à l'aise ? Apprêtez-vous à changer cette énergie en utilisant le pouvoir de vos pensées et la lumière que vous avez invoquée dans vos prières.

♦ Visualisez une lumière dorée qui descend sur vous. Imaginez que vous respirez cette lumière. Retenez-la quelques secondes dans vos poumons. Sentez votre être tout entier se remplir de joie et de force.

♦ Expirez cette lumière dorée et imaginez qu'elle irradie toute la pièce, du plafond au plancher. Promenez-vous dans la pièce avec votre clochette ou votre bol chantant en partant du centre vers chaque coin.

♦ Une fois que vous aurez l'impression d'avoir fait le nécessaire (fiez-vous à votre intuition), faites le tour de la maison en répétant les mêmes étapes dans chaque pièce. Pour terminer, visualisez une lumière dorée au-dessus de la maison qui descend comme un rayon puissant. Ce rayon enveloppe la maison et la protège, tel un scellant.

♦ Après avoir terminé ce rituel, promenez-vous dans la maison. Arrêtez-vous dans chaque pièce pour sentir l'énergie qui a changé.

Vous pouvez répéter ce rituel à deux ou trois reprises pour vous assurer que la purification est complète. Dans beaucoup de cas, cette technique permet de transformer une maison déprimante et inconfortable en un foyer heureux et harmonieux. Toutefois, n'oubliez pas que l'encens, les clochettes ou tout autre accessoire que vous utilisez ne sont que des symboles. Ils ne possèdent aucun pouvoir particulier en soi. C'est le pouvoir de l'esprit, la noblesse de vos intentions et la puissance de vos prières qui permettent de purifier une pièce.

Esprit terrestre, êtes-vous encore là ?

La purification d'une pièce permet habituellement de chasser les fantômes qui ne sont en réalité que des empreintes d'énergie résiduelle. Ce rituel n'aura aucun effet dommageable sur des esprits terrestres qui pourraient s'y trouver. En fait, cela pourra même les aider, car en faisant entrer de la lumière dans la maison, vous pouvez ainsi les libérer.

Il est possible que même après avoir suivi toutes ces étapes, vous sentiez que la maison n'est toujours pas purifiée. Y a-t-il un esprit terrestre qui a besoin d'un petit coup de pouce supplémentaire ? C'est possible. Les signes peuvent être subtils. J'en ai déjà présenté quelques-uns. Pour vous aider à les mémoriser, voici une liste d'éléments à surveiller.

Les signes physiques

Les bruits

Les bruits dans une maison hantée sont extrêmement variés et vont des bruits de claquement et de cliquetis à des bruits plus violents (pour ma part, je n'ai jamais entendu de bruits de chaîne !). Un bruit de verre brisé semblable à celui que nous entendions dans la maison de mes parents est un exemple typique. Je me rappelle une fois où, en rentrant à la maison après avoir fait des emplettes avec ma mère, j'ai entendu des bruits de pas si lourds en provenance de ma chambre que je me suis précipitée à l'étage, persuadée qu'il s'agissait de cambrioleurs. Bien entendu, il n'y avait personne. J'en avais été passablement secouée, mais ma mère, qui était habituée à ce genre de phénomène, avait simplement haussé les épaules.

Des sensations de froid

Il règne à l'intérieur des maisons hantées une sensation de froid tout à fait particulière. C'est un froid à donner la chair de poule, différent du froid ordinaire et facilement reconnaissable par tous ceux qui sont régulièrement en contact avec les fantômes. Ce froid peut être localisé dans un endroit précis de la maison qui devient l'épicentre de l'activité psychique. Ce froid ne peut s'expliquer par la présence de courants d'air dans la maison et ne peut être éliminé, même si on augmente le chauffage.

Les odeurs

Les odeurs peuvent être agréables ou désagréables. Une odeur peut être en lien direct avec les habitudes de la personne décédée. Les odeurs les plus fréquentes sont l'odeur de tabac, de fleurs ou de parfum.

Étrangement, ces odeurs peuvent apparaître de manière soudaine, puis disparaître tout aussi rapidement, plutôt que de se dissiper naturellement, comme le font normalement les odeurs.

Les odeurs désagréables sont parfois difficiles à chasser. Je me souviens d'être allée dans une grande maison victorienne qui avait été transformée en immeuble d'appartements. La jeune femme qui vivait au rez-de-chaussée était constamment agressée par une odeur semblable à celle que dégage une personne âgée incontinente. Peu importe les produits qu'elle utilisait pour nettoyer et désinfecter, l'odeur persistait. J'ai pu en expliquer l'origine ; il s'agissait d'un ancien domestique qui vivait dans cette maison. Après l'avoir libéré, l'odeur a disparu.

Les objets en mouvement

Il nous arrive à tous d'oublier à quel endroit nous avons rangé un objet, par distraction ou en raison de l'âge. Toutefois, lorsque des objets disparaissent régulièrement sans raison apparente, le coupable est peut-être un fantôme. La solution la plus simple consiste à lui ordonner, à voix haute si nécessaire, de vous rendre ces objets. Vous serez étonné de constater à quel point une telle fermeté est efficace !

Il est rare que l'on puisse observer des objets en mouvement, car les esprits se comportent comme des enfants espiègles qui deviennent sages comme des images dès qu'on les observe. Il faut beaucoup de force pour déplacer des objets lourds comme des meubles. Heureusement, peu d'esprits en sont capables!

Les interférences avec les appareils électriques

J'ai déjà parlé du lien qui existe entre l'énergie psychique et l'électricité. Par exemple, la lumière des ampoules électriques peut vaciller ou s'allumer et s'éteindre sans raison. Ces interférences peuvent également dérégler des téléviseurs ou des ordinateurs. Pour un esprit, c'est un des moyens les plus faciles de faire sentir sa présence.

Je n'ai jamais vu de lumière vaciller dans ma maison ni éprouver de problèmes particuliers avec un ordinateur. Toutefois, j'ai déjà observé des phéno-mènes intéressants dans les pièces où j'organise des séances. À plusieurs reprises, les appareils que les par-ticipants apportaient pour enregistrer la séance tom-baient en panne. Je ne me rappelle plus le nombre de fois où j'ai entendu des personnes dire : « C'est étrange. J'ai vérifié avant de partir, et tout fonctionnait normalement. »

Les signes intangibles

Sentir une présence

Il est beaucoup plus fréquent de sentir la présence d'un esprit que de le voir. Cette sensation est un des signes les plus révélateurs qu'une maison est hantée. Souvent, les gens disent : « Je ne vois rien, mais je sens qu'il y a quelque chose. » Ces personnes cherchent peut-être à se convaincre qu'elles imaginent des choses, mais dans leur for intérieur, elles savent que ce n'est pas le cas. Cela me rappelle une comptine que je récitais enfant.

C'est en montant les escaliers
Que j'ai vu un fantôme bien particulier.
Aujourd'hui, je ne l'ai pas rencontré,
J'espère qu'il s'est envolé.

Cette présence peut être à peine perceptible ou plus perturbante, comme si on vous observait, ce qui peut être embarrassant lorsque l'esprit a élu domicile dans la salle de bain. Cette sensation peut être tactile. Même si je n'ai jamais rencontré quelqu'un qui affirmait qu'une main glacée l'avait empoigné, beaucoup de gens ont déjà senti une chose leur effleurer le bras. Parfois, ce contact était très évident, alors qu'à d'autres moments, il était subtil comme un léger courant d'air. Il arrive que des voix se fassent entendre, mais elles sont habituellement si inintelligibles qu'on distingue à peine les mots.

Les apparitions

Voir un esprit se résume habituellement à voir une ombre. Vous apercevez quelque chose du coin de l'œil, mais vous vous retournez, et il n'y a rien. Voici pourquoi. La rétine contient deux types de cellules, les bâtonnets et les cônes. Les cônes nous permettent de distinguer les couleurs. Les bâtonnets nous permettent d'avoir une vision périphérique où le noir et le blanc prédominent. La vision périphérique est plus sensible et réagit à la pénombre. Quand nous apercevons un fantôme du coin de l'œil, c'est souvent au crépuscule, et les fantômes apparaissent incolores.

Toutefois, certaines apparitions ont lieu en plein jour et en couleurs. L'esprit prend alors une forme pleine et solide, puis l'instant d'après, il disparaît. C'est votre capacité psychique qui détermine la forme que prend une apparition. Même lorsqu'une apparition est nette et limpide, elle se produit habituellement à une telle vitesse que vous n'avez pas le temps d'avoir peur.

Les réactions émotives

Les esprits terrestres peuvent saper votre énergie. Si votre maison est hantée, il est possible que vous vous sentiez constamment fatigué et sans énergie. Ces malaises peuvent même devenir physiques. Par exemple, la maison d'une de mes clientes était hantée par un esprit qui était un gros fumeur. Cette dame ressentait une douleur à la poitrine et souffrait de congestion nasale, mais son médecin était incapable d'en trouver la cause. De plus, comme elle était chanteuse, ces malaises l'incommodaient doublement. Une fois l'esprit libéré, les symptômes ont disparu. Bien entendu, il est conseillé de consulter un médecin ou un spécialiste des médecines douces, si vous ressentez des symptômes physiques ou psychiques. Toutefois, si vos malaises n'ont aucune cause apparente, il se peut qu'un esprit terrestre en soit à l'origine.

Vous devriez également être attentif aux changements inexplicables dans votre comportement ou celui de vos proches. Un esprit perturbateur peut semer la zizanie dans une famille en amplifiant les sentiments refoulés de colère ou de ressentiment ou en exacerbant les conflits et les malentendus. Une fois que la discorde s'installe dans un foyer, il devient difficile d'aborder les problèmes avec calme et méthode, quand toute la famille est au bord de la crise de nerfs.

Les enfants et les animaux

Chaque cas de maison hantée est différent. Tous les signes que nous venons de mentionner peuvent s'appliquer en tout ou en partie à votre cas, mais il est possible qu'un doute subsiste dans votre esprit. L'idée de côtoyer quotidiennement un esprit dans sa maison n'est pas facile à accepter. Comme toujours, fiez-vous à votre intuition. Ne vous laissez pas distraire par des membres de votre famille qui s'interrogent sur votre santé mentale!

Soyez attentif à ce que disent les jeunes enfants, dont la sensibilité est beaucoup plus grande que celle des adultes. Il est peu probable qu'un enfant fabule lorsqu'il parle du «vieil homme qui se cache dans le grenier» ou de la «dame qui me borde le soir». Essayez de savoir si l'enfant fait des cauchemars. Ces mauvais rêves peuvent se produire lorsque l'enfant est perturbé par un esprit qui le dérange pendant son sommeil. Observez également les réactions des animaux. Un chien ou un chat qui refuse d'entrer dans une pièce qui est hantée — une caractéristique commune à bien des histoires de fantôme — est un phénomène bien documenté.

S'agit-il d'un membre de la famille?

Il est possible que votre «fantôme» soit en fait un membre de votre famille qui vous rend visite. Il peut s'agir d'un membre de votre famille qui est décédé et dont vous étiez proche, par exemple vos parents ou vos grands-parents. Essayez de savoir s'il s'agit d'une personne que vous connaissiez. Dirigez vos pensées vers elle et demandez-lui en silence ou à voix haute de se présenter. Essayez de sentir si l'esprit vous répond. Essayez aussi de savoir s'il y a des membres plus lointains de votre famille ou des amis qui sont décédés récemment.

Si l'amour, la paix et la joie émanent de cet esprit, il ne s'agit pas d'un esprit terrestre, mais simplement d'un esprit qui vous exprime son affection. En retour, cet esprit sera très reconnaissant si vous organisez une séance avec un médium, afin qu'il puisse entrer en communication avec vous.

S'agit-il d'un étranger ?

Avez-vous commencé à sentir une présence dès le moment où vous avez emménagé dans votre maison, ou peu de temps après ? Il peut alors s'agir de l'esprit d'une personne qui vivait dans cette demeure ou qui était liée à ses propriétaires précédents et qui a été oubliée, comme on laisse une pile de vieux livres dans le fond d'un placard.

Les esprits peuvent entrer à tout moment dans votre demeure, que ce soit par l'entremise d'un visiteur ou d'un membre de votre famille. À l'inverse, si vous ou un membre de votre famille visitez une propriété hantée, l'esprit peut décider de vous suivre parce qu'il préfère votre maison à son lieu de résidence actuel. Il peut aussi s'agir d'un esprit errant qui a été attiré par votre lumière et qui décide d'entrer et de s'installer, tel un sans-abri attiré par la lumière et la chaleur d'une demeure.

Si vous avez apporté récemment des modifications à votre maison ou fait des rénovations, vous avez peut-être réveillé un esprit qui était dans un état semi-conscient en perturbant l'énergie de la maison. Un esprit comme la dame en brun de Veronica, qui était très attachée à sa maison et qui l'aimait telle qu'elle était, peut s'opposer à ces changements et manifester de façon claire son mécontentement.

Devez-vous essayer de libérer vous-même un esprit ?

Comme vous l'avez maintenant constaté, il existe plusieurs raisons qui peuvent expliquer la présence d'un esprit terrestre dans une maison. La plupart des gens sont curieux de savoir qui est, ou était, cet esprit. Il n'est pas toujours possible de découvrir son identité, sans compter que ce détail est plutôt accessoire. Tout ce qui importe, c'est de libérer cet esprit. C'est à vous de déterminer si vous allez tenter l'expérience ou faire appel à une aide extérieure. Si vous décidez de tenter le coup, assurez-vous de répondre aux conditions suivantes :

- ◆ S'assurer qu'il s'agit d'une présence inoffensive ;
- ◆ Posséder un don de médium ou accepter de travailler avec un médium ;
- ◆ Ne pas avoir peur des esprits.

J'aimerais ajouter l'avertissement suivant :

- Si vous ressentez de la peur,
- Si vous sentez que l'esprit dégage une impression de ténèbres ou de malice,
- Si vous ne possédez pas un don de médium,

NE VOUS EN MÊLEZ PAS.

Qui appeler à l'aide ?

Si vous avez décidé de demander de l'aide, chassez tout de suite de votre esprit l'image de *S.O.S. Fantômes*. Nul besoin d'expulser un esprit en le chassant de votre maison. Comment réagiriez-vous si on tentait de vous expulser de force de votre maison ? Faire appel à un ministre du culte est probablement une perte de temps. Toutefois, si cette personne possède une réelle sensibilité sur le plan spirituel, et non une compréhension de la spiritualité acquise à travers ses lectures, des guides peuvent l'accompagner, même à son insu. Ainsi, cette personne peut faire le travail malgré tout. Quoi qu'il en soit, les membres du clergé sont souvent impuissants devant de telles situations. Il est préférable d'appeler un médium.

La façon la plus facile d'en trouver un consiste à vous renseigner auprès de votre église spiritualiste locale. Vous trouverez son numéro dans un annuaire.

Vous pouvez également consulter Internet en tapant les mots « église spiritualiste » ou « médium ».

La technique pour libérer un esprit terrestre

Si vous croyez être en mesure de faire le travail vous-même, voici comment procéder.

♦ Comme dans le cas d'une opération de purification, commencez par choisir un moment dans la journée où la maison est calme, puis récitez une prière.

♦ Par mesure de prudence, demandez à être protégé. (Avant de commencer, lire le chapitre 13 sur la protection psychique.)

♦ Vous pouvez vous adresser à l'esprit en silence ou à voix haute. Comme les esprits peuvent lire vos pensées, il n'est pas nécessaire de parler tout haut, à moins que cela vous facilite la tâche. (N'ayez pas peur du ridicule, si vous êtes seul et que vous parlez à voix haute. Je le fais tout le temps !) Dites à l'esprit que vous êtes conscient de sa présence et que vous voulez l'aider.

♦ Envoyez des pensées de compassion.

♦ Demandez à vos guides, à vos proches ou aux sauveteurs de vous aider à libérer cet esprit. Essayez de sentir la lumière qui pénètre dans la pièce. Dirigez vos pensées positives vers l'esprit et dites-lui d'entrer dans la lumière. Soyez attentif aux impressions qui vous viennent à l'esprit.

♦ Au bout de quelques minutes, vous devriez sentir un changement dans l'énergie de la pièce. Vous éprouverez une sensation de légèreté et de soulagement. Dès lors, vous saurez que l'esprit n'est plus là. Dites une dernière prière et souhaitez-lui bonne chance. Remerciez les guides de vous avoir aidé.

♦ Faites une dernière visualisation comme dans l'exercice de purification pour éliminer l'énergie résiduelle qui reste dans la pièce. Pour ce faire, utilisez les moyens mentionnés précédemment.

♦ L'énergie dans la pièce se stabilisera après un jour ou deux. Pendant cette période, essayez de ne plus penser à l'esprit. Comme celui-ci peut encore se trouver dans une phase transitoire, penser à lui peut suffire à le ramener.

Est-ce aussi facile ? Oui, ce l'est dans la plupart des cas. Même un esprit en apparence craintif peut être facilement libéré. Un jour, une cliente m'a appelée à l'aide parce qu'elle sentait une présence forte et menaçante dans sa chambre à coucher. Elle avait même descendu son lit au rez-de-chaussée pour transformer sa chambre en sanctuaire de prière et de méditation. À mon arrivée quelques jours plus tard, l'esprit était parti, et la chambre était redevenue calme et paisible. Toutefois, j'aimerais vous rappeler que dès la moindre hésitation sur la marche à suivre — et que le succès ait été ou non au rendez-vous — ou si vous vous sentez effrayé ou mal à l'aise, appelez immédiatement un médium.

Un dernier point. Si l'esprit qui hante votre maison est inoffensif, vous pouvez être tenté de le laisser là où il est. Certaines personnes aiment l'idée de vivre dans une maison hantée et refusent de libérer l'esprit. De même, il y a des esprits qui sont très heureux là où ils sont et qui ne veulent pas partir. Généralement, je préconise d'aider ces esprits à partir pour leur propre bien, car ils doivent entrer dans la dimension à laquelle ils appartiennent réellement pour progresser sur le plan spirituel. Les libérer est un acte de bonté.

Depuis le début de ce livre, j'ai souvent affirmé que les esprits devaient « entrer dans la lumière ». En quoi consiste cette lumière exactement ? Et à quoi ressemble le monde qui se cache derrière ?

7

Entrer dans la lumière

Imaginez que vous êtes un esprit terrestre emprisonné dans une maison. Tout est sombre et lugubre autour de vous. Tel un somnambule, vous errez de pièce en pièce. Vous savez que vous êtes toujours vivant, mais quelque chose a changé d'une manière qui vous échappe. Votre esprit est confus, et tout vous apparaît embrouillé. Il y a des personnes dans la maison que vous ne connaissez pas. Des intrus, sans aucun doute. Vous essayez d'entrer en contact avec eux, mais ils ne réagissent pas. Vous tentez alors de leur faire peur.

Puis un beau jour arrive un étranger. Cet individu est différent. Il peut vous parler. Il semble vous comprendre. Grâce à lui, vous pouvez maintenant apercevoir des visages rayonnants. Ces visages vous disent : « Tu n'as plus rien à faire ici. Suis-nous vers un endroit où tu trouveras le bonheur. »

Vous commencez alors à distinguer au loin, au bout d'un long tunnel, une lumière. Cette lumière vous attire. Vous vous approchez d'elle, et tout devient plus clair. L'obscurité et la lourdeur s'estompent. Soudainement, vous êtes libéré.

Voilà ce qui se produit lorsqu'un esprit passe de la dimension matérielle à la dimension spirituelle. C'est l'endroit où il aurait dû aller immédiatement après sa mort et c'est l'endroit où nous irons tous après avoir quitté le monde physique. Voilà ce que signifie l'expression « entrer dans la lumière ».

Des dimensions multiples

Que connaissons-nous du monde spirituel ? En fait, nous savons beaucoup de choses, et cette connaissance n'est basée ni sur la foi ni sur des spéculations. Depuis l'apparition du spiritualisme, il y a plus de 150 ans, les médiums nous ont transmis d'innombrables témoignages de la part de ceux qui sont passés dans l'Au-delà.

Ces témoignages nous ont appris qu'il existe un monde au-delà de la mort qui ne se trouve pas quelque part dans le ciel. Il ne s'agit pas d'un lieu physique. Il serait plus exact de parler d'une autre dimension, d'un univers parallèle. Il existe en fait beaucoup de dimensions, ou plans. Quand une personne décède — à moins qu'une raison la pousse à rester parmi nous —, elle entre dans la première dimension, celle que les spiritualistes appellent « le pays des merveilles ». Ce plan, que je vais vous décrire plus en détail, n'est que la première étape après notre départ du monde terrestre.

Le processus de la mort

Même s'il est universellement craint et redouté, le processus de la mort n'a rien d'effrayant. Non seulement nos interlocuteurs spirituels nous en fournissent la preuve, mais également ceux et celles qui ont vécu une expérience de mort imminente (ou EMI), c'est-à-dire les personnes mortes qui ont été réanimées par les médecins. À partir des expériences vécues par ces individus, nous savons que les personnes mourantes abandonnent leur corps comme si elles se débarrassaient d'un vieux manteau. Elles ressentent une impression de légèreté et de liberté. La peur a disparu. L'instant d'après, elles se trouvent à côté de leur enveloppe charnelle ou flottent à quelques mètres au-dessus.

Dans la plupart des cas, un être provenant du monde spirituel vient à la rencontre de la personne décédée pour prendre soin d'elle. Il peut s'agir de sa mère ou de son grand-père, d'un mari ou d'une femme, ou même d'un guide spirituel. Pour d'autres, cette rencontre a lieu à une étape ultérieure. L'expérience de la mort diffère légèrement d'une personne à l'autre.

Une caractéristique commune aux EMI est ce que les chercheurs appellent « le tunnel ». La personne a l'impression de parcourir à grande vitesse un long tunnel sombre. Pour certains, ce tunnel prend la forme d'une vallée ou d'un vide sidéral. Encore une fois, la peur est absente. Ces personnes ressentent plutôt des sentiments de paix et d'euphorie et se sentent enveloppées d'amour. Dans son livre *La vie après la vie*, Raymond Moody nous présente le témoignage suivant :

> J'avais l'impression d'être dans une vallée sombre et profonde. L'obscurité était si dense et si impénétrable que je ne voyais absolument rien, et pourtant, cette expérience est la plus merveilleuse et la plus sereine que j'aie jamais vécue.

Une autre personne a décrit « une espèce de limbes située à mi-chemin entre le monde physique et un autre monde ». Cette description est très évocatrice, car le tunnel représente un passage entre la terre et une autre dimension. Au bout du tunnel se trouve une lumière à la fois incroyablement brillante et douce pour les yeux. C'est la lumière du monde spirituel.

L'arrivée dans le monde spirituel

Certains esprits n'ont pas l'impression de traverser un tunnel. Ils se réveillent et constatent tout simplement qu'ils sont arrivés dans le monde spirituel. Une amie décédée d'un cancer à l'hôpital, qui était entrée en communication avec moi après sa mort, m'a raconté à quel point l'idée de mourir l'effrayait, même si elle savait qu'il y avait une vie après la mort.

— Je m'inquiétais pour rien, m'a-t-elle dit par télépathie.

Elle m'a expliqué qu'elle s'était endormie. À son réveil, elle avait eu un choc : elle flottait dans les airs à plusieurs mètres au-dessus de son corps, qui gisait inerte dans son lit.

— J'avais pitié de ce corps, a-t-elle ajouté. C'était vraiment moi, cette vieille chose toute rabougrie ?

Elle a aperçu une infirmière se pencher au-dessus d'elle, puis tout à coup, le décor s'est transformé.

— Je me trouvais dans un jardin semblable à celui de mes grands-parents où j'avais l'habitude d'aller quand j'étais enfant. C'était un jardin magnifique, un endroit paisible et lumineux. Il y avait de la lumière partout. J'étais émerveillée, mais sans trop comprendre. Ma mère et ma grand-mère sont apparues et m'ont tendu les bras. J'ai su alors que j'étais en sécurité.

La vie dans le monde spirituel

À quoi ressemble l'Au-delà ? Incapable de le décrire en mots, mon amie m'avait communiqué l'impression visuelle d'un paysage ressemblant à un paysage terrestre, mais sous une forme purifiée. Les personnes ayant vécu une EMI et qui ont eu un bref aperçu de cet endroit l'ont décrit en termes similaires. Sans exception, elles ont parlé d'un endroit si merveilleux qu'elles n'avaient plus envie de revenir sur terre. Elles évoquaient un paysage magnifique aux couleurs vives rempli d'arbres et de fleurs qu'on ne trouve pas ici. Il y régnait une paix et une joie irrésistibles. L'amour était partout.

Le plus étonnant à propos de ce monde était sa ressemblance frappante avec celui où nous vivons. Chaque région sur terre a son équivalent dans l'Au-delà ; ainsi, les esprits nouvellement arrivés se retrouvent dans un environnement semblable à celui qu'ils viennent de quitter. Il y a des villages et des villes. Les gens vivent dans des maisons, soit avec les membres de leur famille qui sont décédés avant eux, soit avec des esprits avec lesquels ils ont des affinités.

Les enfants qui meurent en bas âge grandissent dans le monde spirituel et attendent d'accueillir leurs parents. Même les animaux survivent, et beaucoup de gens sont ravis d'être réunis à l'animal familier qu'ils chérissaient tant. Tout est paix et harmonie. Il n'y a pas de douleur, d'épreuve ou de souffrance. C'est un monde où personne ne travaille, un monde sans bureaux, usines ou magasins. Le seul travail qui s'y effectue est d'ordre spirituel. Il y a cependant beaucoup à faire, car toutes les choses qui nous procurent du plaisir en ce bas monde, comme les livres, la musique ou les arts, existent également dans l'au-delà.

Les esprits qui vivent dans ce plan ne sont pas des anges. Ce sont des hommes et des femmes comme vous et moi qui ont conservé leur personnalité terrestre. Toutefois, en accédant à un niveau de conscience supérieur, ils sont devenus plus aimants et plus sages qu'ils ne l'étaient de leur vivant, ce qui ne signifie pas pour autant qu'ils soient devenus omniscients. Tout comme nous, ils continuent d'apprendre.

Puisque leur monde n'est pas si éloigné du nôtre, ils peuvent, s'ils le désirent, revenir parmi nous pour veiller sur leur famille et l'aider en utilisant le pouvoir de la pensée. Les esprits profitent des séances pour entrer en contact avec leurs proches et leur apporter joie et amour, ce qu'ils sont très heureux de faire.

Les esprits peuvent rester dans le pays des merveilles, tant et aussi longtemps qu'ils le désirent, car pour eux, le temps n'existe pas. Ils arriveront éventuellement à un point où ils sentiront le besoin de quitter cet environnement pour accéder aux dimensions supérieures et continuer à progresser. Il existe beaucoup de dimensions, chacune étant plus évoluée que la précédente. Les dimensions supérieures sont très différentes de la dimension terrestre. Les esprits peinent à les décrire, car ces plans sont faits de lumière et d'énergie pures.

La vie dans le monde spirituel est un périple où l'esprit chemine d'une dimension à une autre pour apprendre et croître. De temps à autre au cours de cette progression, l'esprit revient sur terre pour s'incarner dans un autre corps. L'espace me manque dans ce livre pour parler plus en détail de la réincarnation. Toutefois, il existe des preuves irréfutables qui confirment que nous vivons plusieurs vies. Pour ma part, je vois le monde terrestre comme une école où nous apprenons les leçons et vivons les expériences dont notre âme a besoin pour avancer. Entre chacune de ces vies, nous retournons dans le monde spirituel qui est notre véritable port d'attache.

Éventuellement, l'esprit atteint un niveau où il a appris tout ce que le monde terrestre pouvait lui apprendre, même si cela peut prendre un temps incommensurable. À cette étape, il n'est plus nécessaire de revenir sur terre. L'esprit gardera alors très peu de contacts avec notre monde, à moins qu'il ne fasse le choix de s'intéresser au plan matériel pour y travailler comme guide, comme enseignant ou comme guérisseur. Tous les êtres sages que j'appelle «les sauveteurs» proviennent de ces plans supérieurs.

L'enfer et le jugement dernier

Beaucoup de personnes qui ont vécu une EMI affirment avoir vu défiler devant leurs yeux leur vie tout entière. Non seulement revoient-elles les moments forts, mais elles revivent également les émotions qui y sont associées. Plus significatif encore, elles prennent conscience des émotions ressenties par les gens qui les ont côtoyées. Si elles ont fait souffrir quelqu'un, elles éprouveront intérieurement cette douleur.

Cette expérience bouleversante peut causer un profond remords. « Pourquoi ai-je agi ainsi ? Pourquoi ai-je dit ces mots ? Si seulement j'avais été plus compréhensif ! » Plus une personne a maltraité les autres, plus elle aura de reproches à se faire.

Les esprits qui ont communiqué avec nous depuis le monde spirituel parlent également d'un phénomène semblable. C'est le type de jugement que nous affrontons tous à notre mort. Ce jugement n'est pas une punition, mais une occasion de dresser un bilan, de prendre conscience des fautes qui ont été commises et d'en tirer des leçons sous l'œil bienveillant des maîtres spirituels. C'est aussi un moment pour célébrer les bonnes actions et pour progresser en apportant une aide spirituelle aux autres, y compris aux êtres vivants.

Les esprits ne se présentent pas devant le tribunal divin pour y recevoir une sentence. Il n'y a pas d'enfer rempli de flammes et de soufre, ce qui ne signifie pas pour autant que la cruauté et la vilenie restent impunies. C'est une punition que l'on s'inflige à soi-même. Le monde spirituel renferme autant de plans obscurs que de plans lumineux. « Qui se ressemble s'assemble », dit la loi spirituelle. Un esprit dont la nature est sombre ou maléfique, s'il ne reste pas lié au plan terrestre, sera automatiquement attiré par les ténèbres.

Ces plans plus sombres ne ressemblent en rien aux images traditionnellement associées à l'enfer. Il s'agit plutôt d'un enfer psychologique et psychique, obscur et déprimant, à l'image de la conscience de ceux qui l'habitent.

Les esprits terrestres au tempérament destructeur ou remplis de haine et de malice qui acceptent de suivre les sauveteurs n'entrent pas directement dans le pays des merveilles. Ils sont mal adaptés à ce monde où la lumière trop vive les éblouirait, ce qui ne veut pas dire qu'ils ne pourront jamais y accéder. Les sauveteurs ne rejettent personne, car ils reconnaissent la présence du divin à l'intérieur de chaque âme. En répondant à leur amour, l'esprit peut accéder à un monde intermédiaire où il recevra l'aide qui lui permettra de vaincre ses ténèbres intérieures. Ceci étant dit, tout esprit qui se détourne délibérément la lumière restera confiné aux régions plus sombres.

Toutefois, aucun individu n'est voué à l'enfer à perpétuité. Dès qu'un esprit en vient à reconnaître ses erreurs et à comprendre qu'il est le seul responsable de son séjour dans les ténèbres, il peut se tourner vers la lumière. À cette étape, les sauveteurs se rapprocheront de lui et lui prodigueront amour et miséricorde afin qu'il puisse poursuivre sa progression.

L'importance de la spiritualité

Ce portrait tout aussi sommaire qu'incomplet de la vie après la mort est très différent de celui que propose l'Église. Il montre que la mort n'est pas le moment décisif où le sort d'une âme se joue pour l'éternité. Il n'y a pas de Dieu vindicatif assis sur un nuage qui accueille les âmes pures au paradis et condamne les pécheurs aux flammes éternelles de l'enfer. Mourir n'est qu'une simple étape dans le cheminement de l'âme.

Ce concept peut rebuter les personnes ayant grandi dans la tradition chrétienne. Or, beaucoup de chrétiens qui arrivent dans l'Au-delà sont choqués de constater à quel point leurs croyances étaient erronées. Ils sont également outrés de constater qu'ils ne sont pas les seuls à avoir survécu à la mort.

Nous survivons tous à la mort, que nous le voulions ou non. Ce que nous découvrons en arrivant de l'autre côté est l'inutilité de suivre les préceptes d'une religion en particulier ou de fréquenter une Église. La renommée ou l'argent ne nous suivent pas dans la mort. Ce qui importe vraiment, c'est d'avoir cherché la lumière qui se trouve à l'intérieur de nous et de l'avoir exprimée par la façon dont nous avons vécu notre vie. Plus nous en avons été conscients pendant notre séjour sur terre, plus nous connaîtrons le bonheur dans l'autre dimension.

Les athéistes et l'Au-delà

Pour moi comme pour tous ceux qui connaissent l'existence du monde spirituel, il est très réconfortant de savoir que la mort n'est que le commencement d'une nouvelle étape de l'existence et que nous ne sommes pas séparés à jamais de nos proches décédés. Pour ma part, j'ai toujours eu de la difficulté à comprendre les éternels sceptiques qui balaient du revers de la main les preuves montrant qu'il y a une vie après la mort tout simplement parce qu'ils refusent de le croire. D'ailleurs, ces personnes conserveront cette attitude même dans la mort.

Dans son livre *What Happens When You Die*, le Dr Robert Crookall raconte l'anecdote suivante à propos du Dr Karl Novotny, un disciple du psychologue Alfred Adler décédé en 1965. Peu de temps après son décès, un de ses amis a consulté un médium. Par l'entremise de ce médium, Novotny a raconté ce qui s'était produit lorsqu'il avait quitté son corps. Ce jour-là, il était allé faire une promenade avec quelques amis en dépit du fait qu'il était très malade. Soudainement, pendant la promenade, il a constaté avec surprise qu'il se sentait beaucoup moins fatigué et essoufflé.

> Je suis revenu vers mes compagnons et j'ai vu mon corps qui gisait sur le sol. Désespérés, mes amis essayaient de trouver un véhicule pour me ramener à la maison. Pourtant, je me sentais bien et je

ne ressentais aucune douleur. Je ne saisissais pas vraiment ce qui venait de se produire... Quand toutes les formalités ont été remplies et que mon corps a été déposé dans un cercueil, j'ai compris que j'étais mort. Je refusais toutefois de l'admettre, car comme mon maître Alfred Adler, je ne croyais pas à la vie après la mort.

Novotny a ensuite rendu visite à une amie, mais celle-ci ne pouvait le voir ni l'entendre. Au bout d'un moment, il a dû accepter la réalité.

J'ai aperçu ma mère adorée qui venait vers moi les bras ouverts en disant que j'étais passé dans l'Autre monde. Elle ne parlait pas en mots, car ceux-ci n'existent que dans le monde terrestre. Pourtant, je refusais de la croire, persuadé que tout ceci n'était qu'un rêve. Je me suis accroché à cette certitude pendant un long moment. Je niais la vérité et j'en étais très mal malheureux.

Pourquoi n'y a-t-il pas davantage de personnes qui deviennent des esprits terrestres?

Dans cette société matérialiste où nous vivons aujourd'hui, beaucoup de personnes rejettent la foi religieuse et refusent de croire à la vie après la mort. On pourrait s'attendre à ce qu'il y en ait plusieurs parmi elles qui se transforment en esprits terrestres après leur mort. Heureusement, ce n'est pas le cas, car il y a peu d'athées aussi radicaux que Novotny. Dès qu'ils se libèrent de leur corps et qu'ils constatent qu'ils sont toujours bien vivants, ils sont obligés d'admettre qu'il existe une vie après la mort. La plupart en sont fort heureux, d'ailleurs.

Nous sommes fondamentalement des êtres spirituels. Même si nous avons tendance à l'oublier pendant notre séjour dans le monde physique, nous le savons au plus profond de nous-mêmes. Après avoir quitté le corps, l'esprit reprend sa liberté. Il retourne dans son élément naturel, c'est-à-dire la lumière. Comme il a vécu dans cette dimension avant d'entreprendre sa vie terrestre, l'endroit ne lui est pas étranger.

L'esprit se comporte comme une montgolfière. Tant qu'il demeure confiné dans un corps physique, il reste attaché au monde matériel. Dès que le corps meurt, les amarres sont rompues, et l'esprit peut s'élever dans les airs. Ce phénomène se produira invariablement, à moins que l'esprit soit retenu par quelque chose, par exemple un bout de corde qui se coincerait entre les branches d'un arbre, empêchant ainsi la « montgolfière » de poursuivre son ascension. Ce « bout de corde » peut prendre la forme d'une douleur émotionnelle, d'un traumatisme, d'un attachement aux biens matériels ou d'une habitude. Une fois cet obstacle éliminé, plus rien n'empêche l'esprit de reprendre la route.

Les liens les plus forts qui retiennent un esprit terrestre sont ceux qui existent entre lui et les êtres aimés restés sur terre. La possibilité de rester en contact après la mort est, dans la plupart des cas, une grande source de réconfort et de consolation, à la fois pour l'esprit et les proches qui lui survivent. Or, il arrive que l'intensité de cet amour et de la douleur qui accompagne le décès soit telle que l'esprit est retenu prisonnier et ne peut plus progresser.

8

Ces liens qui nous retiennent

Karen Browne dormait d'un profond sommeil bien au chaud dans son lit lorsqu'elle s'est réveillée soudainement et qu'elle a aperçu son grand-père debout à côté de son lit.

> Il me souriait, et ses yeux étaient resplendissants d'amour. Il s'est adressé à moi en utilisant mon petit surnom affectueux : « Je suis venu te dire au revoir, ma jolie colombe. » Je lui ai rendu son sourire, puis je me suis rendormie, non sans avoir jeté avant un coup d'œil à mon réveille-matin. Il était 6 h du matin.

Les grands-parents de Karen vivaient dans un appartement au rez-de-chaussée de sa maison. C'était une famille très unie. Curieusement, Karen ne s'est pas étonnée outre mesure de la présence de son grand-père dans sa chambre. Peu de temps après, un cri l'a de nouveau réveillée. Cette fois, c'était sa grand-mère.

Son grand-père s'était éteint dans son sommeil. Toute la famille était en état de choc, sauf Karen, qui se sentait étrangement calme et réconfortée à la pensée que son grand-père lui avait dit au revoir. Par la suite, en lisant son certificat de décès, elle a appris qu'il avait succombé à une crise cardiaque et que le médecin avait estimé le moment du décès à 6 h du matin.

Le contact peu de temps après la mort

Cette histoire, qui a été rapportée par Emma Heathcote-James dans son livre *After-Death Communication*, est typique des innombrables témoignages relatant l'apparition d'un esprit au moment de son décès ou immédiatement après. Ce phénomène fréquent est bien connu des parapsychologues, qui l'ont baptisé « apparition transitoire ». Comme dans le cas de Karen, le témoin de l'apparition ignore que la personne est morte.

Quand une personne prend conscience qu'elle vient de quitter le monde physique, sa première pensée va habituellement à ceux qu'elle laisse. L'idée que ses proches seront troublés et auront du chagrin devient alors une source d'anxiété pour la personne défunte. Elle se fera du souci et aura tendance à revenir auprès d'eux. L'intensité des émotions ressenties permettra à l'esprit de franchir le voile qui sépare normalement les deux mondes. D'ailleurs, les témoins de telles apparitions affirment souvent avoir eu l'impression que la personne décédée était toujours parmi eux. Même des individus qui ne possèdent aucune sensibilité psychique particulière vivent de telles expériences. Ils aperçoivent l'esprit du coin de l'œil ou sentent une odeur qui leur rappelle cette personne. Ils peuvent même entendre des bruits ou constater que de menus objets ont été déplacés.

Ces indices peuvent les amener à croire que leur maison est hantée, au grand dam de l'esprit qui ne cherchait pas à les effrayer, mais qui voulait simplement leur faire sentir sa présence. Supposez que vous êtes mort, que vous retournez dans votre maison et que vous voyez vos proches pleurer votre décès et même préparer vos funérailles. Vous avez envie de leur parler, de leur dire que vous êtes toujours vivant, mais vous ne parvenez pas à établir le contact. Vous êtes pourtant devant eux, agitant les bras en sautillant pour capter leur attention, en vain. En proie à la frustration, vous pouvez être tenté de déplacer un bibelot ou de faire claquer une porte, même si cela ne fait que les effrayer davantage. Comme ils pensent avoir affaire à un fantôme, ils appelleront un pasteur pour procéder à un exorcisme.

Essayer d'établir le contact

Un esprit déploie de grands efforts pour entrer en contact avec ses proches. Si ces personnes savent qu'il y a une vie après la mort et que le défunt est toujours là, même si elles ne peuvent le voir ou lui parler, elles peuvent le réconforter et l'aider à faire la transition. Si elles lui envoient un message clair : « Fais un signe pour montrer que tout va bien », l'esprit fera de son mieux pour les rassurer.

Voici un autre exemple tiré du livre d'Emma Heathcote-James à propos d'une femme, Heather Davies, qui avait éprouvé un choc terrible lorsque son mari était décédé subitement pendant qu'ils prenaient un repas ensemble :

> Je n'arrêtais pas de me dire qu'en sachant qu'il était en sécurité, je pourrais surmonter mon deuil et aller de l'avant. Je voulais seulement savoir si tout allait bien.

Un soir, incapable de trouver le sommeil, elle avait rassemblé la moindre parcelle d'énergie psychique qu'elle possédait pour tenter d'établir un lien télépathique avec son mari.

> Cela a été instantané. Un coin de la chambre situé entre le plafond et le haut du mur s'est éclairé,

tandis que le reste de la pièce est resté dans la pénombre. Une forme oblongue et droite aux contours arrondis est apparue dans un tourbillon de brume. C'était un homme, le plus beau que j'avais jamais vu, un saint vêtu d'une robe blanche, qui s'est adressé à moi d'une voix amicale : «Il veut vous parler.» Il s'est ensuite dirigé vers le fond de la chambre, et la dernière chose que j'ai aperçue a été le revers en pointe de sa manche. Puis, mon mari est apparu. Il avait l'air bien. Il n'avait plus cette mine affreuse que j'avais vue ce soir-là dans l'ambulance. Il semblait reposé et bien portant. Sentant que le temps pressait, je lui ai demandé : «Derek, est-ce que tout va bien?» Il m'a répondu sur un ton rassurant : «Je vais très bien.» Puis, il a disparu.

J'étais très reconnaissante. J'ai retrouvé le sommeil et j'ai pu reprendre peu à peu le cours de ma vie. J'avais l'impression que mon mari avait demandé la permission de venir me réconforter, qu'il ne pouvait pas partir avant de me voir. Je sentais qu'il était sur le point d'entreprendre un long voyage.

Les esprits ont parfois la possibilité d'entrer en contact avec un proche pendant son sommeil. Ce dernier aura l'impression de revoir en rêve la personne disparue. En fait, c'est beaucoup plus qu'un rêve. Quand nous dormons, nous quittons notre corps physique, ce qui nous permet d'atteindre les esprits du monde spirituel.

Cependant, le pauvre esprit peut avoir la frustration de constater que la personne vivante a tout oublié à son réveil ou qu'elle se dise : «Ce n'était qu'un rêve!»

J'ai été témoin de beaucoup de cas où des esprits, incapables de communiquer avec un proche, utilisent un tiers pour passer un message. Les participants à mes séances ont souvent été surpris d'entendre l'esprit d'un inconnu ou d'une personne qu'ils connaissaient à peine leur demander de transmettre quelques mots de réconfort à leur famille.

Certains esprits rôdent pendant de longues périodes dans l'espoir de pouvoir, d'une manière ou d'une autre, entrer en contact avec leurs proches. Si cela s'avère impossible, ils finissent par renoncer et s'en vont, tristes de n'avoir pu communiquer.

Est-ce qu'un être cher est devenu un esprit terrestre?

Dans les jours et les semaines qui suivent le décès, l'esprit traverse une période d'adaptation. Comme un alpiniste qui doit s'acclimater à l'altitude, l'esprit doit s'habituer à son nouvel environnement spirituel. Pendant cette période, et même s'il est déjà entré dans la lumière, l'esprit retourne chez lui auprès de sa famille. La durée de cette adaptation peut varier de quelques jours à quelques mois, voire quelques années, selon le degré d'attachement de l'esprit envers le monde physique et envers ses proches, ou du désir de sa famille de le garder près d'elle.

Maureen était venue me consulter parce qu'elle se faisait du souci pour son mari, Ron, décédé quelques mois auparavant.

— J'ai toujours cru qu'il y avait une vie après la mort, m'avait-elle raconté. Même si Ron n'était plus, je savais qu'il était toujours à mes côtés. J'avais parfois l'impression que je n'avais qu'à tendre la main pour le toucher.

Je lui avais demandé si elle avait peur.

— Au contraire, m'avait-elle répondu, je suis contente qu'il soit là.

Mais le temps passait, et Maureen sentait que Ron n'avait pas bougé.

— Il aurait déjà dû passer dans l'Autre monde, disait-elle sur un ton inquiet. Est-il devenu un esprit terrestre ?

Je lui avais assuré que ce n'était pas le cas. En entrant en contact avec Ron, j'avais senti la lumière et les vibrations qui émanaient de lui, ce qui ne se serait pas produit s'il avait été un esprit terrestre. Il était resté près de sa femme parce qu'il savait qu'elle avait besoin de lui. Il m'avait dit :

— Comment puis-je la laisser, alors qu'elle est dans cet état ?

Maureen comprenait pourquoi son mari se sentait ainsi, car le couple avait été marié pendant plus de

50 ans. Même si elle savait qu'il y avait une vie après la mort, elle avait beaucoup de difficulté à accepter son décès.

Au bout de quelques mois, Maureen était revenue me voir. Cette fois, elle était rayonnante, même s'il y avait encore quelque chose qui la préoccupait.

— Il est encore dans les parages, m'avait-elle annoncé. Mais cette fois, c'est différent. Je ne sens pas qu'il est aussi près. Est-ce que cela signifie qu'il est sur le point de partir?

Encore une fois, je l'avais rassurée.

— Il vous aime trop pour ça. Il s'est éloigné un peu, c'est tout. C'est peut-être parce que vous acceptez mieux son décès, non?

Maureen avait acquiescé. Même si son mari lui manquait terriblement, elle retrouvait peu à peu une vie normale. Elle savait toutefois que Ron ne serait jamais bien loin.

Jusqu'à ce que la mort nous sépare

Lorsqu'un amour profond unit deux personnes, même la mort ne peut rompre ce lien. Nous faisons le vœu de nous aimer «jusqu'à ce que la mort nous sépare», mais en fait, la mort ne dissout pas le lien étroit qui existe entre deux individus. La personne décédée continue de veiller sur celui ou celle qui lui survit et d'en prendre soin. Elle n'en devient pas pour autant un esprit terrestre, car elle reste de son plein gré.

Pour mieux comprendre ce phénomène, reprenons le cas de Ron, qui était décédé après une longue maladie. Maureen s'était occupée de lui avec dévotion. À sa mort, Ron avait été accueilli par ses parents. Il était entré dans la lumière avec eux à ses côtés. Toutefois, ses pensées étaient encore tournées vers Maureen, qui souffrait de son départ. Ce lien très fort l'avait ramené vers elle. Il était heureux qu'elle sache qu'il était toujours là et il faisait tout en son pouvoir pour manifester sa présence et réconforter Maureen.

Au début, elle pouvait sentir cette présence de manière presque tangible. Puis, le temps avait passé, et elle avait commencé à faire son deuil. Ron se détachait graduellement du plan terrestre, et Maureen percevait cela comme un éloignement, ce qui ne voulait pas dire qu'il s'était détourné d'elle. Il avait simplement continué son chemin pour s'adapter davantage à la dimension spirituelle. Comme il se trouvait dans une vibration légèrement supérieure, Maureen ne pouvait plus sentir physiquement sa présence. En effet, plus la vibration à l'intérieur de laquelle un esprit évolue est élevée, plus il est difficile pour les êtres vivants de percevoir qu'il est là.

Cette relation étroite durerait ainsi jusqu'au décès de Maureen. Toutefois, au lieu de simplement rôder autour d'elle, Ron diviserait son temps entre le monde terrestre et le monde spirituel. C'était mieux ainsi, car il pouvait se consacrer entièrement à sa nouvelle vie tout en l'aidant à faire son deuil. Il restait juste assez près pour être à sa portée. Il était encore sensible aux pensées de Maureen et à l'amour qu'elle lui envoyait. Il pouvait immédiatement être à ses côtés chaque fois qu'elle en avait besoin.

Comment résoudre les problèmes pratiques

Quand une personne décède, elle laisse souvent des problèmes non résolus. Cette situation se complique lorsque, comme dans le cas de Maureen, le conjoint survivant se trouve seul après des décennies de vie commune. En plus d'avoir à composer avec son chagrin, cette personne doit prendre plusieurs décisions difficiles : «Que faire avec ses effets personnels?»; «Devrais-je en faire don à un organisme de charité?»; «Devrais-je vendre la maison et m'installer dans endroit plus petit?» Le conjoint survivant veut respecter les volontés de la personne défunte, mais si celle-ci n'a laissé aucune indication, comment savoir avec certitude ce qu'elle aurait souhaité?

L'être aimé devenu esprit est conscient de toutes ces questions, mais si le conjoint survivant ne sent pas sa présence, il ne pourra rien faire pour l'aider. En revanche, si le conjoint survivant se montre réceptif, l'esprit peut le guider ou lui faire mentalement des suggestions sur la façon de régler ces problèmes épineux.

Des questions comme «Quel type de funérailles aurait-il voulu?», «Devrais-je disperser ses cendres?» reviennent très souvent lors d'un décès. Pourtant, les esprits ne se soucient guère de tels détails. Certes, ils peuvent assister à leurs funérailles et apprécier le soin apporté à préparer la cérémonie. Ils sont conscients des émotions et des pensées qui habitent les personnes présentes et savent si le chagrin exprimé est sincère ou non! Par contre, ils ne s'intéressent pas à ce qui advient de leur dépouille. Leur seule préoccupation est d'aider leurs proches à vivre ce moment difficile.

Lors d'une séance que j'animais récemment, une femme a reçu un message de l'esprit de son mari, qui était déçu de la dispute qui avait éclaté au sujet du partage de l'héritage. Même s'il était satisfait de la décision de sa femme d'en distribuer une partie aux membres de sa famille, il lui conseillait de s'en réserver une bonne part et d'en profiter!

Il arrive aussi que les vivants se montrent insensibles envers la personne disparue. Prenons par exemple le cas de cet homme qui, pendant sa vie terrestre, avait longuement réfléchi à la vie après la mort sans en avoir été vraiment convaincu. Après son décès, sa femme avait participé à une de mes séances.

— Il dit qu'il a trouvé la réponse à sa question, ai-je annoncé à cette femme. Il veut que vous sachiez que dans le monde spirituel…

— Je sais, je sais, avait-elle dit en me coupant la parole. Ça ne m'intéresse pas. Tout ce que je veux savoir, c'est l'endroit où il a rangé son testament !

Retenir par le chagrin

Il est normal de pleurer le décès d'un être cher, mais il y a des situations où le chagrin de la personne endeuillée est tel qu'il empêche l'esprit de progresser. Certains esprits restent emprisonnés dans le tourbillon émotionnel de leurs proches. Ils essaient de les aider, mais cela ne fait qu'empirer la situation, car les survivants ajouteront inconsciemment la douleur ressentie par l'esprit à leur propre peine.

Ces situations sont plus susceptibles de se produire dans les cas où la personne décédée ne manifestait aucune sensibilité sur le plan spirituel et ne croyait pas à la vie après la mort. Ces esprits s'accrochent à leurs proches et souhaitent par-dessus tout rester près d'eux. En fait, ils ne comprennent pas qu'il existe un autre endroit où ils peuvent aller, soit parce que des nuages sombres leur cachent la lumière, soit parce qu'ils refusent carrément d'y entrer. Ces esprits ne comprennent pas que même après être entrés dans la lumière, ils pourront encore visiter leurs proches. Ils pourront même les aider davantage en partageant avec eux la lumière et la force qu'ils vont y trouver.

Les personnes dotées d'une sensibilité spirituelle s'enlisent très rarement dans de telles ornières. En devenant un esprit, elles ressentent profondément le chagrin de leurs proches. Comme je l'ai déjà mentionné, elles peuvent choisir de passer beaucoup de temps près de ceux qu'elles ont quittés. Toutefois, le niveau de conscience qu'elles possèdent alors leur permet de comprendre que cette séparation n'est que temporaire et qu'elles seront un jour réunies avec les êtres aimés.

Marilyn avait perdu son fils unique lors d'un tragique accident. Dévastée, elle était submergée par le chagrin, malgré les efforts de son mari et de ses filles pour la consoler. Elle trouvait son seul réconfort dans l'idée qu'elle pourrait un jour entrer en contact avec lui. Pour ce faire, elle avait transformé sa chambre en mausolée. Jour après jour, elle s'y enfermait dans l'espoir que son fils apparaisse pour lui parler.

Au bout de quelques semaines, elle avait fait un rêve où son fils lui était apparu. Il lui avait dit avec amour qu'il allait bien. Puis, il a ajouté :

— Je t'en prie, maman. Laisse-moi partir. Je ne pourrai pas m'en aller, si tu es malheureuse.

Heureusement, elle a compris que ce rêve était une rencontre réelle avec son fils. Acquiesçant à sa demande, elle l'a libéré pour reprendre ensuite le cours normal de sa vie.

Aider un être cher qui vient de mourir

La réaction de Marilyn était compréhensible, car perdre un enfant est peut-être le deuil le plus tragique qui soit. Peu importe la relation que nous ayons eue avec la personne décédée, nous devons exprimer notre tristesse pour être en mesure de surmonter notre deuil. C'est la même chose pour ceux qui vivent dans le monde spirituel. En effet, les esprits, y compris ceux qui sont déjà entrés dans la lumière, s'ennuient de nous autant que nous nous ennuyons d'eux, en dépit du baume offert par le monde merveilleux dans lequel ils se trouvent.

Plusieurs options s'offrent à vous pour bien traverser une période de deuil. Vous pouvez également aider la personne disparue, lorsque celle-ci éprouve des difficultés à avancer.

♦ Envoyez des pensées d'amour vers la personne décédée. Si vous sentez sa présence, dites-le-lui à voix haute ou en pensée.

♦ Ne craignez pas des phénomènes comme des sensations de toucher, des odeurs ou des objets déplacés. Ce sont les moyens utilisés par un esprit pour manifester sa présence.

◆ Dites ce que vous ressentez. Ne retenez pas vos larmes.

◆ S'il y a quelque chose que vous souhaitez demander, posez vos questions et attendez en silence. Vous pouvez recevoir une réponse en pensées ou sentir qu'on essaie de vous communiquer quelque chose. Cela peut prendre un certain temps, mais souvent, vous recevrez une réponse lorsque vous serez détendu et que vous ne penserez à rien en particulier.

◆ Profitez des funérailles pour rendre hommage au disparu. Si vous déposez des fleurs au cimetière ou à tout autre endroit de recueillement, sachez que la personne décédée le verra et appréciera ce témoignage d'affection. Mieux encore, plantez des fleurs dans la cour de votre maison, là où vous pourrez — et le défunt aussi — les voir et en profiter.

◆ Vous pouvez également consulter un médium pour établir un contact plus direct et plus clair avec un être cher. Certains médiums croient qu'il y a une période après la mort où un esprit est incapable de communiquer. Ils conseillent donc aux personnes endeuillées d'attendre plusieurs semaines avant de participer à une séance. Mon expérience m'a prouvé le contraire. La période qui suit immédiatement un décès est celle où le besoin de communiquer est ressenti avec le plus d'acuité par l'esprit. Vous pouvez participer à une séance au moment de votre choix.

Avec le temps, graduellement, les blessures se cicatrisent, et la vie reprend son cours. Vous ne perdez pas la personne disparue pour autant. En fait, plus vous serez heureux, plus elle-même sera heureuse et sereine.

Les émotions négatives

Les liens qui unissent les esprits et les êtres vivants ne sont pas toujours des liens d'amour. Les émotions négatives comme le remords, la jalousie et la haine peuvent également empêcher un esprit de progresser.

Laura était un médium qui avait divorcé. Quelques années plus tard, elle a rencontré un homme charmant qui était veuf. Ils voulaient se marier, mais la défunte de cet homme avait un autre plan en tête. Être médium n'a pas que des avantages. Les médiums sont capables de mettre en veilleuse leurs dons psychiques, mais dans le cas de Laura, celle-ci était incapable de se couper de cette femme jalouse à la personnalité forte et déterminée, qui s'immisçait avec insistance dans leurs moments les plus intimes.

Une telle situation est exceptionnelle, dois-je préciser. Dans tous les cas dont j'ai été témoin, la personne devenue esprit se réjouissait que sa tendre moitié ait de nouveau trouvé le bonheur, sauf si elle jugeait que le nouveau conjoint ou la nouvelle conjointe n'était pas à la hauteur. Les esprits qui deviennent des esprits terrestres, comme l'était devenue la défunte du nouveau fiancé de Laura, ressentent les mêmes émotions que lorsqu'ils étaient des personnes en chair et en os. Laura avait essayé de la libérer, mais celle-ci refusait de partir. De guerre lasse, Laura avait annulé le mariage.

Quand une personne décède le cœur rempli de haine ou de ressentiment, elle emporte cette émotion avec elle dans la mort, ce qui l'empêche d'entrer dans la lumière. Cet esprit demeure lié à la personne qui est à l'origine de cette émotion négative et peut avoir une influence néfaste sur sa vie.

Pat, une cliente qui était venue me consulter il y a quelques années, avait vécu une relation difficile avec sa belle-mère, Vera. Celle-ci considérait que son fils bien-aimé avait fait un mauvais mariage et n'avait ménagé aucun effort pour miner cette union. Quand Vera était tombée malade, Pat avait mis de côté son antipathie envers elle pour lui rendre visite chaque jour et répondre à tous ses besoins. Toutefois, Vera n'avait jamais manifesté le moindre signe de gratitude. En fait, plus Vera devenait dépendante de sa bru, plus elle la détestait.

Après le décès de Vera, Pat a poussé un soupir de soulagement, pensant que les mauvais jours étaient derrière elle. Mais la malice de sa belle-mère l'avait suivie dans sa tombe. Pat a commencé à faire des cauchemars dans lesquels Vera apparaissait. Elle se sentait de plus en plus déprimée et éprouvait même des symptômes physiques similaires à ceux qui avaient affligé Vera. Les guides ont dû être très persuasifs pour convaincre Vera de partir, même si je n'étais pas tout à faire certaine que c'était pour de bon.

Une autre de mes clientes, Joan, est venue me voir parce que sa vie n'allait nulle part. En plus d'avoir perdu son emploi, Joan avait été victime d'une série de malchances qui l'avaient beaucoup déprimée.

L'esprit que j'avais capté autour de Joan était son père. Tout comme sa fille, il tournait en rond. D'ailleurs, je n'avais guère été surprise de découvrir que le début des problèmes de Joan coïncidait avec le décès de son père.

Joan ne s'était jamais bien entendue avec son père. Même s'ils s'étaient partiellement réconciliés vers la fin de sa vie, il subsistait encore des tensions qui avaient poussé le père à déshériter sa fille. Il avait légué son argent à un membre de sa famille qui n'en avait pas besoin, alors que Joan était pauvre.

En entrant en contact avec le père, j'avais perçu un mélange de colère et de remords. Cet homme s'était senti incompris, mais maintenant qu'il était dans le monde spirituel, il voyait les choses d'un autre œil. Il était à la fois profondément désolé d'avoir laissé tomber sa fille et frustré de ne pouvoir rien faire pour corriger la situation.

Après que je lui ai expliqué cela, Joan a accordé son pardon à son père. À partir de ce moment, elle a cessé d'être déprimée, et sa vie a commencé à s'améliorer.

L'importance du pardon

Le remords peut s'avérer un facteur important pour retenir un esprit terrestre. En adoptant un point de vue différent, l'esprit voit le tort qu'il a causé et comprend qu'il est impossible de revenir en arrière. Il a besoin d'être pardonné pour poursuivre sa progression vers un niveau de conscience où il pourra se pardonner à lui-même et cesser de se blâmer et de culpabiliser.

Les vivants ont aussi besoin de pardonner. C'était la colère que Joan nourrissait envers son père qui les liait et les faisait piétiner. Dans le cas de Pat et de sa belle-mère, le lien haineux qui s'était tissé entre elles s'était perpétué jusque dans l'au-delà. Comme j'ai perdu le contact avec Pat peu de temps après sa visite, je n'ai jamais su si son problème avait été résolu. J'espère que ces deux femmes ont trouvé dans leur cœur la force de se pardonner mutuellement pour se libérer.

Il arrive parfois que même avec les meilleures intentions du monde, il nous soit impossible d'aimer ou même d'apprécier des proches ou des collègues. Le monde spirituel nous enseigne que de telles situations nous permettent d'apprivoiser la tolérance, la patience et la compréhension. Je ne peux m'empêcher d'ajouter que c'est beaucoup plus facile à dire qu'à faire, surtout lorsque nous nous heurtons à une belle-famille exigeante, à des parents autoritaires ou à des enfants turbulents ! Nous devons néanmoins aller au-delà des conflits de personnalités pour comprendre qu'en chaque personne se trouve un être spirituel qui doit composer avec les vicissitudes de la vie au meilleur de ses connaissances. Il peut s'agir de personnes blessées ou mal aimées. Au bout du compte, c'est l'amour qui nous permet de nous élever au-dessus de notre niveau de conscience terrestre afin que nous puissions accéder au monde spirituel.

Jamais l'amour et le pardon ne sont aussi essentiels que dans les cas où, pour une raison ou pour une autre, une personne choisit de s'enlever la vie.

9

Le suicide

Le suicide est l'ultime acte désespéré quand la vie semble dénuée de sens et sans espoir. Toutefois, quand une personne qui s'est enlevé la vie arrive dans le monde spirituel, elle est souvent rongée par le regret et le remords en constatant l'impact de son geste sur ses proches.

Traditionnellement, l'Église a enseigné que le suicide était un péché mortel. On croyait que les individus qui se suicidaient étaient condamnés à errer dans les limbes pendant une durée équivalant à celle qu'aurait eue leur vie sur terre. Encore aujourd'hui, même si les attitudes envers le suicide sont plus ouvertes et plus tolérantes, beaucoup d'auteurs qui écrivent sur le sujet déclarent de manière péremptoire que les personnes qui se suicident deviennent automatiquement des esprits terrestres. Toutefois, ma longue expérience de communicatrice avec le monde spirituel m'a montré que ce n'était pas le cas. Bien sûr, même si le suicide est un acte négatif qui gêne la progression de l'esprit dans l'Au-delà, il ne le transforme pas automatiquement en esprit terrestre. Comme d'habitude, il n'y a pas de règles strictes en ce sens.

L'importance du motif

Une personne peut choisir de mettre fin à ses jours parce qu'elle souffre d'une maladie en phase terminale et qu'elle n'est plus en mesure de supporter la douleur. Elle peut également souffrir d'une dépression sévère. Un individu doté d'un sens exacerbé de l'honneur peut considérer le suicide comme un moyen d'échapper à une situation jugée déshonorante. Ces motifs sont très différents les uns des autres. Vus de l'extérieur, ces gestes apparaissent insensés et condamnables. Ce n'est que dans le monde spirituel que les sentiments les plus intimes d'une âme peuvent être pleinement compris. Seuls les guides spirituels, et les esprits eux-mêmes, sont aptes à juger si cet acte était ou non justifié.

Les esprits qui souffrent le plus semblent être les personnes qui s'enlèvent la vie pour échapper à une situation ou à un problème qu'elles n'avaient plus le courage d'affronter, ou encore pour punir une autre personne. Quand elles comprennent que c'est à elles-mêmes qu'elles ont fait le plus de tort, il est trop tard. Elles constatent qu'elles ont gaspillé leur vie tout en dévastant celle de leurs proches. Ces esprits éprouvent souvent de la difficulté à communiquer. Leurs regrets amers se transforment en barrière difficile à franchir. «Si seulement je pouvais revenir en arrière et tout recommencer!», se lamentent-elles.

J'aurais deux choses à dire à ceux qui ont perdu un être cher de cette manière tragique. Premièrement, la personne suicidée ne fera l'objet d'aucune condamnation dans le monde spirituel. Peu importe ce qui a motivé son geste, elle sera traitée avec amour et respect. Toute souffrance qu'elle pourra ressentir sera le résultat de ses propres récriminations, et non d'une punition qui lui aurait été infligée.

Dans le monde des vivants, les personnes qui échouent leur tentative de suicide reçoivent de l'aide sans être jugées. Elles suivent des thérapies pour surmonter leurs problèmes émotionnels. C'est la même chose dans le monde spirituel. Les esprits des suicidés bénéficient d'une compréhension et d'une guérison qui leur permettent de voir leur vie à partir d'une perspective différente. Ils découvrent les causes sous-jacentes de leurs actions et apprennent à s'en sortir eux-mêmes.

Même si ces personnes ne peuvent revenir en arrière (ce qui ne les empêche pas de garder un lien spirituel avec leur famille), elles s'aperçoivent qu'il existe d'autres moyens de faire amende honorable.

Parfois, elles travailleront dans la dimension spirituelle pour aider d'autres personnes en proie au désespoir ou qui se sont suicidées.

Deuxièmement, la possibilité pour ces esprits de rester en contact avec ceux qu'ils ont quittés les aide énormément. Quand une personne se suicide, les membres de sa famille sont souvent aux prises avec un sentiment profond de culpabilité. Ils se demandent s'il n'y a pas eu de signes précurseurs qu'ils auraient dû remarquer ou s'il y avait quelque chose qu'ils auraient pu faire pour empêcher le geste fatal. S'ils ne voient aucune raison apparente au suicide, ces gens se tourmenteront en essayant d'en deviner la cause. L'esprit doit s'expliquer. Il doit dire à quel point il est désolé, offrir un réconfort et demander pardon. En agissant ainsi, il allège le fardeau de ses proches et les aide à tourner la page.

L'histoire de Peter

Peter était un brillant jeune homme qui était sur le point de terminer ses études et qui venait d'emménager avec sa petite amie, une jeune femme adorable. Peter avait tout pour être heureux. Cependant, une ombre planait au-dessus de lui. Depuis longtemps, Peter souffrait de dépression, et son état allait en s'aggravant, en dépit de la médication. Pour ses parents, Sheila et Bill, Peter avait de bonnes chances de s'en sortir, parce qu'il mettait tout en œuvre pour combattre sa dépression. Puis, un jour, Peter s'est querellé avec sa petite amie, qui l'a quitté. C'est la goutte qui a fait déborder le vase. Cette nuit-là, Peter a pris une surdose de somnifères. Au matin, un ami l'a découvert sans vie et a appelé ses parents.

Inutile de préciser que Sheila et Bill ont été anéantis par la nouvelle. Toutefois, ces gens savaient qu'il y avait une vie après la mort, plus particulièrement Sheila, qui sentait que Peter était toujours près d'eux. Inquiète, elle se demandait si Peter avait l'âme en paix. Le couple est alors venu me voir pour participer à une séance, et j'ai senti la présence de Peter. L'émotion était à son comble, et j'avais peine à retenir mes larmes.

— Je suis terriblement désolé, répétait-il sans cesse. J'étais tellement déprimé. Je n'avais plus la force de lutter.

Il a expliqué qu'il avait agi sur un coup de tête. Il était tellement abattu ce soir-là que plus rien d'autre n'avait d'importance. Même la pensée de la peine qu'il infligerait à ses parents n'avait pas suffi à l'arrêter. Il a expliqué que sa grand-mère l'avait accueilli dans l'Au-delà pour le mener vers un endroit où il a pu se soigner. Personne ne l'a blâmé pour le geste qu'il avait commis. Il ne s'est pas trouvé plongé dans les ténèbres. En fait, il voyait les choses plus clairement qu'avant. La dépression était une maladie qui échappait à son contrôle. Même si sa tentative de suicide avait échoué, il savait que sa situation aurait continué de se détériorer et éventuellement, il aurait essayé de nouveau de mettre fin à ses jours.

Il a dit à ses parents à quel point il les aimait et qu'il serait toujours avec eux. Ce contact a apaisé autant Peter que ses parents. Il y aurait encore des moments difficiles, mais Peter, tout en demeurant conscient du chagrin qu'il avait causé, pouvait maintenant entrevoir le chemin menant vers une vie plus riche et plus heureuse.

Le fils du pasteur

J'ai rencontré au cours de ma carrière trop de cas similaires à celui-ci. Beaucoup d'âmes qui arrivent aujourd'hui dans notre monde sont sensibles et éveillées spirituellement. Les individus comme Peter ont de la difficulté à composer avec les dures réalités de la vie, sa cruauté et ses injustices, et ils se sentent souvent comme des étrangers parmi les gens à la sensibilité moins grande. Leur incapacité à affronter cette réalité mène souvent à la dépression et à la dépendance aux drogues ou à l'alcool, avec parfois de tragiques conséquences.

Dans son livre *The Other Side*, James A. Pike raconte l'histoire de son fils, un autre jeune homme ayant mis fin à ses jours. Ce livre, publié en 1969, nous en apprend davantage sur le sort réservé aux personnes qui décèdent dans de telles circonstances. Pike, un pasteur controversé vivant en Californie, avait déjà été accusé d'hérésie. La controverse avait redoublé lorsque Pike avait affirmé être entré en contact avec son fils après son décès.

Jim Pike était mort des suites d'une surdose de drogue. Immédiatement après son décès, son père avait observé une activité psychique dans l'appartement qu'il partageait avec son fils. Des objets disparaissaient et réapparaissaient dans des endroits inhabituels. Des vêtements rangés dans les placards étaient éparpillés un peu partout. Une horloge s'était arrêtée avec ses aiguilles pointant à 8 h 19, soit l'heure exacte de la mort de Jim.

Faisant preuve d'une ouverture d'esprit que réprouvaient les autres pasteurs, James Pike a participé à une séance animée par Ena Twigg, une médium célèbre à l'époque. Ena est entrée en contact avec Jim, et la réaction de la médium ne laissait planer aucun doute sur l'état de détresse dans lequel il se trouvait. S'exprimant par l'entremise de la médium, Jim a expliqué qu'il ne savait pas ce qu'il faisait lorsqu'il s'était enlevé la vie, puis il a ajouté :

> Je regrette profondément, et pourtant, ce sont ces mêmes regrets qui m'indiquent la voie à suivre. Il faut progresser ensemble… Pour s'en sortir, il faut revenir et essayer d'expliquer… J'étais si malheureux de ne pouvoir te parler que je devais trouver

un moyen. Je pensais que c'était la solution ; je voulais en finir ; j'ai compris depuis que je me trompais. J'aimerais pouvoir revenir en arrière et trouver des solutions à mes problèmes dans un environnement qui m'est plus familier.

Dans une autre séance, Jim s'est expliqué davantage :

Je suis arrivé ici dans un état de grande confusion mentale. Je ne rejetais pas la société, mais je me sentais incompris et je ne faisais plus confiance aux autres. Tu le savais bien. Je devais sortir de cette impasse, et en arrivant ici, ils m'ont dit : « Allez, viens. Tes diplômes ne te seront plus d'aucune utilité ici. Revenons aux choses qui sont vraiment importantes : la compassion, la compréhension et la gentillesse. Peu à peu, j'ai commencé à comprendre. Il existait un autre moyen de se libérer. C'était comme la religion, mais sans que personne n'essaie de vous enfoncer Jésus ou Dieu dans le crâne. J'ai découvert qu'en empruntant cette voie, je trouverais ce que la religion avait été incapable de me donner : un sens à ma vie... Si tous les saints étaient venus à ma rescousse, j'aurais refusé leur aide. Pas de cette façon. Ils ne m'auraient pas forcé la main non plus, parce qu'ils savaient quel genre de personne j'étais. Ces personnes invisibles me connaissaient. Elles m'ont pris en charge et m'ont guidé avec prévenance et gentillesse. Elles ont fait le tri entre ce qui est essentiel et ce qui ne l'est pas.

Graduellement, j'ai commencé à me sentir chez moi. Savoir aussi que j'avais encore un pied sur

terre et que je pouvais entrer en contact avec toi a
été pour moi une grande source de motivation et de
réconfort… Voilà le message que je voulais transmettre à ma famille : je vais bien, ne vous en faites
pas.

Il avait décrit son nouvel univers comme un endroit
excitant où régnaient la paix et l'harmonie, puis
il avait ajouté qu'il se sentait plus vivant que lorsqu'il
était parmi nous.

Jim avait trouvé le chemin menant à la lumière et il
faisait des progrès. C'était un jeune homme doué sur
le plan spirituel, ce qui l'avait aidé à s'adapter à sa nouvelle vie. Pour les personnes moins sensibles dont la
vie se termine prématurément, la transition est plus
difficile. Il leur faut plus de temps pour trouver la paix.

L'abus d'alcool et de drogue

Pour beaucoup de gens aujourd'hui, consommer de la
drogue est un mode de vie acceptable. Si certains individus considèrent la drogue comme un loisir inoffensif et sont capables de maîtriser leur consommation,
d'autres sombrent trop facilement dans la dépendance.
Les personnes qui succombent après un abus d'alcool
ou de drogue portent un lourd fardeau de culpabilité,
parce qu'elles ont gaspillé leur vie. La drogue ayant
perturbé leur esprit, elles entrent dans l'autre monde

dans un état de confusion, ce qui leur complique la tâche pour résoudre leurs problèmes.

Tout comme Peter, Simon était un étudiant universitaire à l'avenir prometteur. Comme beaucoup de ses amis, il consommait de la drogue à l'occasion et il croyait maîtriser la situation. Un soir, lors d'une fête, il a pris une dose de trop et s'est réveillé dans le monde spirituel.

N'étant pas un toxicomane, Simon s'est réveillé avec l'esprit clair. Cependant, lorsqu'il a communiqué avec moi lors d'une séance que j'avais organisée pour son père, il était rongé par le remords. «Comment ai-je pu être si stupide?», disait-il. «Je suis terriblement désolé. Quel gâchis!»

Entrer en contact avec sa famille et savoir qu'elle lui avait pardonné l'avaient aidé. Heureusement pour lui, car malgré l'amour qu'il recevait dans la dimension spirituelle, j'ai l'impression qu'il aurait porté ce fardeau pendant encore très longtemps.

Mélanie

Beaucoup de personnes qui mettent fin à leurs jours sont incapables d'entrer en contact avec leur famille. Elles ont de la difficulté à assumer ce geste, et leur famille n'aura jamais le réconfort de penser que leur fils ou leur fille a survécu à la mort.

Cherchant désespérément à établir un lien avec nous, ces esprits peuvent rôder autour de toutes les personnes sensibles qu'ils croisent. Ces personnes peuvent alors souffrir de dépression ou se comporter d'une manière inhabituelle. Cette situation peut perdurer jusqu'à qu'elles prennent conscience de ce qui leur arrive.

Sarah Phipps m'a raconté l'histoire suivante, pendant que j'étais en train de faire des recherches pour ce livre. Sarah avait une jeune amie appelée Mélanie qui gardait à l'occasion ses enfants. Un soir, en rentrant chez elle après le travail, elle a aperçu Mélanie qui l'attendait dehors. Psychiquement, Sarah a senti un nuage noir qui flottait au-dessus de sa tête. Quelques semaines plus tard, elle a appris que Mélanie s'était suicidée.

— Le choc et le tourbillon d'émotions que j'ai ressentis m'ont complètement bouleversée, a ajouté Sarah. Pendant des semaines, chaque fois que j'entendais une certaine chanson jouer à la radio, je ne pouvais m'empêcher de penser que c'était Mélanie qui essayait de me communiquer quelque chose. Les mois ont passé, et j'étais de plus en plus obsédée par ce suicide. J'étais déprimée, je pleurais sans raison apparente, j'étais sans cesse épuisée. Je me disais parfois que j'étais en train de perdre la raison ou de me diriger tout droit vers une dépression nerveuse. J'avais l'impression de vivre les émotions et les sentiments de Mélanie. Je me demandais où elle se trouvait et si tout allait bien !

Sarah a consulté plusieurs médiums, mais sans recevoir de message de Mélanie. Son état mental était tel que l'idée du suicide commençait même à lui effleurer l'esprit.

— Une nuit, après avoir été très émotive pendant toute la journée, je me suis réveillée. Je n'en pouvais plus. J'étais désespérée et je pleurais. J'implorais qu'on vienne à notre aide, Mélanie et moi. C'est alors qu'un éclair fracassant — que je ne peux expliquer — a traversé ma chambre. C'est comme si tout était effacé. Je me sentais revenue à mon état normal et, plus important encore, je sentais que Mélanie allait bien, qu'elle était maintenant en paix. C'était comme si quelqu'un avait allumé une lampe.

Ce que Sarah avait senti était l'instant où, grâce à ses prières, Mélanie avait été libérée. Quelques mois plus tard, la mère de Mélanie a frappé à sa porte. Après avoir consulté un médium, elle avait reçu un message de sa fille lui demandant de transmettre ses amitiés à Sarah. Celle-ci était enchantée d'avoir pu aider Mélanie à trouver la paix, même si, pour ce faire, il lui avait fallu vivre 18 mois de tourments.

Comment aider une personne
qui a mis fin à ses jours

Beaucoup de gens qui participent à mes séances après le suicide d'un proche sont consumés par l'anxiété. Ils veulent savoir si la personne défunte souffre ou si elle est devenue un esprit terrestre en raison du geste qu'elle a commis. Comme les exemples présentés dans ce chapitre l'ont montré, les victimes du suicide ont souvent besoin d'aide, ce qui ne signifie pas pour autant qu'elles se soient transformées en esprits terrestres. Comme dans les autres cas de décès, les situations varient selon les individus et leur degré de compréhension de la spiritualité.

Si un membre de votre famille est tragiquement décédé par suicide, voici comment lui venir en aide.

♦ Envoyez-lui des pensées d'amour. Visualisez cette personne et projetez vers elle de l'amour et de la lumière.

♦ Si vous sentez sa présence, parlez-lui en silence ou à voix haute, selon ce que vous préférez. Essayez de sentir ses émotions.

♦ Consultez un médium, afin d'essayer d'entrer en contact avec cette personne et lui donner la chance d'expliquer son geste. N'oubliez pas que les suicidés ont souvent de la difficulté à communiquer. Soyez patient. Si le premier médium que vous rencontrez échoue, consultez-en un autre.

Vous connaissez peut-être quelqu'un qui s'est suicidé. Même si vous ne connaissiez pas très bien cette personne, vous pouvez néanmoins l'aider en lui envoyant de la lumière et des pensées d'amour. Celles-ci finiront par l'atteindre.

Cependant, ces pensées peuvent attirer cette personne vers vous. Soyez conscient de cette possibilité. Si vous commencez à vous sentir déprimé comme dans le cas de Sarah, sachez que vous êtes influencé par les émotions de cet esprit. Ne vous accrochez pas à ces émotions. Encore une fois, la meilleure voie à suivre est de consulter un médium.

Une fois le contact établi, l'esprit peut vous demander de transmettre un message à sa famille. Essayez d'exaucer son souhait, dans la mesure du possible. Il faut du courage, pour aborder des gens que vous connaissez à peine et dont vous ignorez les croyances religieuses afin de leur annoncer que le disparu est entré en contact avec vous. Si vous vous en sentez capable, vous rendrez un immense service à la personne décédée tout en aidant ses proches à comprendre ce qui s'est produit.

Par-dessus tout, rappelez-vous que le monde spirituel ne juge ni ne condamne personne. Peu importe ce
qui a motivé son geste, un suicidé recevra toujours
amour et compréhension. Même si cette personne est
confuse et a de la difficulté à trouver son chemin vers
la lumière, votre amour et vos prières peuvent lui
ouvrir les portes d'un monde merveilleux où elle trouvera la paix.

10

Les morts subites et violentes

Il existe une prière dans la religion anglicane qui va comme suit : «Mon Dieu, libérez-nous de la guerre, du meurtre et de la mort subite.» Cette prière, qui s'inscrit dans la grande tradition théologique chrétienne, suggère implicitement qu'une mort soudaine ou violente peut faire grandement souffrir un esprit. En fait, c'est une des principales raisons qui pousse un esprit à devenir un esprit terrestre, même s'il ne s'agit pas d'une règle absolue. Encore une fois, les situations peuvent varier selon les individus et leur état d'esprit au moment du décès.

Partir sans dire adieu

Les accidents vasculaires cérébraux et les crises cardiaques sont les principales causes de mortalité. D'ailleurs, beaucoup de participants à mes séances ont perdu un proche ou un ami de cette façon. Le choc d'une telle perte peut être dévastateur. On ne peut s'y préparer ni faire ses adieux. Souvent, il ne reste que des problèmes non résolus et des paroles non prononcées.

Ce que les personnes endeuillées ignorent, c'est que le défunt peut subir le même choc et nourrir les mêmes regrets. Comme plusieurs témoignages présentés dans ce livre le confirment, le processus de la mort n'est pas douloureux. De plus, la personnalité du défunt reste inchangée. La plupart des esprits ressentent donc le besoin de garder un contact avec leur famille pour leur faire savoir qu'ils ont survécu.

Cet urgent besoin de communiquer est facile à comprendre. Supposez qu'on vous arrache à vos proches sans avertissement pour vous expédier vers un pays étranger. Vous chercheriez sûrement à entrer en contact avec eux pour leur dire où vous êtes. C'est la même chose avec les esprits. Ils rôdent autour des personnes qui leur ont survécu, guettant le moment d'établir un lien avec eux. Si cela s'avère impossible, ils devront vivre l'agonie mentale de voir leurs proches souffrir et peut-être même ressentir de la culpabilité et de la honte. On dit que le véritable enfer est de voir sa famille souffrir sans être capable de la réconforter.

« Si seulement j'avais su ! »

Une de mes clientes, Hazel, était rongée par la culpabilité. Son petit ami, Mike, un jeune homme dans la vingtaine, avait été foudroyé au travail par une crise cardiaque. Comme il n'avait jamais manifesté le moindre symptôme, son décès avait été un choc total.

En larmes, Hazel m'avait confié :

— Nous avions eu une grosse dispute, ce matin-là. J'avais menacé de le quitter. Si seulement j'avais su !

En entrant en contact avec Mike, j'ai senti sa propre détresse. Pourtant, il n'était pas seul et ne montrait aucun signe de confusion. Sa mère était à ses côtés et l'entourait d'amour. Toutefois, Mike ne pensait qu'à Hazel et avait désespérément besoin de lui parler.

— Il vous pardonne, ai-je annoncé à Hazel.

Hazel a éclaté en sanglots et a honteusement admis :

— Ce matin-là, je lui avais dit que je préférais le voir mort. Ce sont les derniers mots que je lui ai adressés. Il est parti en claquant la porte. Cela a été la dernière fois que je l'ai vu vivant.

Je sentais que Mike aurait voulu la prendre dans ses bras pour la réconforter.

— Il sait que vos mots ont dépassé votre pensée et il veut que vous cessiez de vous culpabiliser. Vous avez tous les deux dit des choses que vous ne pensiez pas vraiment. Il vous aime tant.

Hazel a esquissé un sourire à travers ses larmes.

— Au moins, il le sait. Cela me réconforte un peu.

Il y avait une autre raison qui expliquait pourquoi Mike refusait de partir.

— Il parle d'un bébé, ai-je dit.

Hazel a confirmé en sanglotant qu'elle était enceinte :

— Il ne verra jamais son enfant grandir.

— Si, il le verra. Il veillera sur vous deux à partir du monde spirituel, ai-je répondu.

Même si ces paroles mettaient un peu de baume sur sa peine, elle continuait de se demander : « Pourquoi est-ce arrivé ? Il était si jeune. Il lui restait tant de choses à vivre. »

Cette question, je l'ai souvent entendue sortir de la bouche de gens qui venaient de perdre un enfant ou une personne dans la force de l'âge. Il est toujours difficile pour moi de trouver les mots pour les réconforter. Le monde spirituel nous enseigne que contrairement à la perception communément admise, il n'y a pas de décès prématuré. Chaque décès survient au moment où il doit survenir, selon l'étape où l'âme se trouve dans son apprentissage et sa progression. Je sais que pour beaucoup de personnes, cette idée est irrecevable. Pour ma part, je crois qu'il nous faudra attendre d'être nous-mêmes rendus dans le monde spirituel pour trouver des réponses à ces épineuses questions. Rien n'arrive par le seul fruit du hasard. Un jour, au-delà de cette vie, tout deviendra plus clair.

Hazel n'était pas prête à voir les choses ainsi. Mike non plus, d'ailleurs. Il estimait que sa vie lui avait été volée. Il rejetait la dimension spirituelle. Ses pensées étaient encore orientées vers le monde terrestre, vers Hazel, vers leur enfant à naître et vers son père qui vivait également un deuil difficile. Il savait qu'il devait entrer dans la lumière, mais il s'y refusait. Il s'accrochait à Hazel.

J'ai parlé à ce couple pour les encourager à lâcher prise. Mike devait s'avancer vers la lumière, car c'est uniquement en atteignant un niveau supérieur de compréhension qu'il serait capable d'accepter son décès. Hazel devait consentir à le laisser franchir cette étape. Le lien spirituel qui les unissait ne serait jamais rompu, et le contact serait maintenu. À moins d'entrer dans la lumière, ni l'un ni l'autre ne trouveraient la paix.

Les décès accidentels

Les personnes qui se blessent grièvement et qui s'évanouissent lors d'un accident sont confuses et traumatisées, lorsqu'elles reprennent connaissance. Elles sont momentanément en état de choc, incapables de comprendre ce qui vient de se passer. Les personnes qui meurent accidentellement subissent un traumatisme similaire. Elles sont projetées hors de leur corps physique si brusquement qu'elles se trouvent plongées dans un état de choc et d'incrédulité.

À quoi ressemble une telle mort? Les communications que nous avons avec le monde spirituel et les témoignages de personnes ayant vécu une expérience de mort imminente nous fournissent une foule d'informations à ce sujet. Voici un scénario typique.

Un homme roule sur une route. Il aperçoit un véhicule s'approchant en direction inverse qui se dirige droit sur lui. La collision semble inévitable. Il tente une manœuvre désespérée pour éviter l'impact. Il y a un moment de panique, un bruit de tôle froissée, puis plus rien. L'instant d'après, il ouvre les yeux. Il se voit debout à côté de la carcasse de sa voiture. Il constate qu'il n'est pas blessé. D'ailleurs, il ne ressent aucune douleur. En fait, il se sent incroyablement vivant et vibrant. Intrigué, il conclut qu'il en est miraculeusement sorti indemne.

Il aperçoit le conducteur de l'autre véhicule qui regarde anxieusement à l'intérieur des débris. Il y a un corps, mais il ne peut voir de qui il s'agit. Il s'approche pour regarder à son tour. Le corps inerte appuyé contre le volant lui ressemble. C'est *lui*! Comment est-ce possible? Il est encore en vie!

Pendant qu'il essaie de comprendre ce qui vient de se passer, d'autres automobilistes s'arrêtent et se précipitent vers la scène de l'accident. Il essaie de leur parler, de leur dire qu'il va bien, mais personne ne porte attention à lui. En fait, ils marchent tout droit à travers lui. Lentement, la terrible vérité commence à se frayer un chemin dans son esprit : il est mort.

Qu'arrive-t-il ensuite? Cela varie d'une personne à une autre. Toutes les personnes qui décèdent, peu importe la manière, sont accueillies à leur arrivée dans le monde spirituel. Les esprits savent à quel moment un décès va survenir et ils sont prêts à intervenir. Habituellement, la période de confusion est courte. Un individu qui décède accidentellement n'est pas toujours ravi de passer de l'autre côté, mais la personne qui l'accueille lui expliquera ce qui vient de se produire, s'occupera de lui et le guidera du lieu de l'accident vers la lumière.

Un homme qui était décédé en roulant en bicyclette me racontait :

— Au début, tout est devenu noir. J'ai paniqué.

Puis, il s'est produit quelque chose de merveilleux.

— On aurait dit que le ciel tout entier venait de s'illuminer, avait-il ajouté. J'ai vu mes grands-parents qui venaient vers moi.

Cet homme voulait aussi que je dise à sa mère :

— Cesse de penser à cet accident. Je l'ai oublié comme on oublie un mauvais rêve. Je suis heureux maintenant.

L'histoire de Philip

Philip, un jeune homme qui s'était tué dans un accident de motocyclette, avait communiqué avec sa mère peu de temps après son décès en recourant à l'écriture automatique, une technique utilisée par les esprits pour écrire en se servant de la main d'un médium. Sa mère, Alice Gilbert, a raconté son histoire dans un livre intitulé *Philip in Two Worlds*. Philip lui avait expliqué avoir descendu une côte à grande vitesse, puis il y avait eu l'accident, suivi par l'obscurité. En ouvrant les yeux, Philip avait été surpris de constater qu'il s'en était sorti indemne.

> J'ai vu une automobile qui approchait. J'ai reculé pour lui céder le passage. Le conducteur s'est arrêté et est sorti de sa voiture. Il y avait un corps sur la route. Je me suis approché et j'ai vu que c'était moi. Mon corps avait l'air tout ce qu'il y a de plus réel, sauf qu'il y avait des rayons de lumière qui sortaient du bout de mes doigts. Tout à coup, j'ai vu grand-père. Il était entouré de lumière et me regardait en souriant. J'ai alors compris que j'étais mort.

Confus et désorienté, Philip avait tenté de retourner vers sa mère.

> J'ai commencé à marcher et je suis finalement arrivé devant la maison. J'ai fouillé dans ma poche pour trouver la clé, mais elle n'y était pas. J'ai mis le doigt sur la sonnette et j'ai entendu le son à l'intérieur de moi. Tu as ouvert la fenêtre pour voir qui était là. Tu ne me voyais pas. Je pouvais cependant lire

dans tes pensées et j'ai vu à quel point tu étais effrayée.

Soudainement, je me suis rappelé que tu m'avais dit que les esprits étaient capables de passer à travers la matière, et j'ai simplement passé à travers la porte. C'était le truc le plus incroyable que j'avais jamais fait. J'ai recommencé deux ou trois fois, juste pour le plaisir. Une fois à l'intérieur, j'ai vu que grand-père était là. Toute la nuit, je suis resté à tes côtés. J'ai essayé de remplacer le mot «commotion» que tu répétais sans cesse par «blessure à la tête», mais tu refusais d'admettre la vérité.

Plus tard, un être lumineux d'origine asiatique (le guide de la mère) est apparu au pied de ton lit. Il portait un turban et une barbe. Il a dirigé une espèce de rayon qui sortait du bout de ses doigts vers le dessus de ta tête, puis tu t'es endormie. Ta véritable essence s'est montrée, et je lui ai raconté ce qui venait d'arriver, mais à ton réveil, tu refusais encore de l'admettre.

La mère de Philip avait enseigné à son fils qu'il y avait une vie après la mort. Il comprenait donc ce qui lui était arrivé et il pouvait voir son grand-père, qui était venu pour l'accueillir. Pendant quelques jours, il était resté près de sa mère en faisant de son mieux pour l'aider en pensée. Une fois la confusion estompée, il s'était adapté très rapidement à la dimension spirituelle et y avait trouvé le bonheur.

Les âmes errantes

Pour d'autres individus décédés dans des circonstances similaires, la période de désarroi et de confusion peut s'étirer davantage. S'ils ignoraient l'existence d'un monde spirituel ou d'une vie après la mort, ils n'ont aucun moyen de comprendre ce qui vient de leur arriver. Leur détresse peut être telle que les esprits qui tentent de leur venir en aide ne peuvent les atteindre, tout comme il est difficile d'établir le contact avec une personne en état de choc. Penser à leur famille ou à l'endroit où ils vivaient leur permet habituellement de retrouver leur chemin, mais ils peuvent parfois errer autour de l'endroit où l'accident s'est produit, cherchant quelqu'un qui pourrait les aider.

Si un médium passe dans les parages, l'esprit sera attiré vers la lumière qui l'entoure et la suivra, tout comme une personne perdue dans le brouillard emboîtera le pas au porteur d'une lampe. L'esprit s'accroche au médium qui captera ses émotions perturbées.

Liz Leeke, une médium qui vit à Londres, m'a raconté l'anecdote suivante. Un jour qu'elle se rendait à pied à une église spiritualiste en compagnie d'un apprenti médium, celui-ci a capté des sentiments de dépression et de confusion. Rapidement, il en est arrivé à la conclusion que ces émotions émanaient d'un esprit terrestre. Liz et lui sont alors entrés en contact avec l'esprit.

— Nous avons découvert qu'il s'agissait d'un jeune cycliste qui était mort sur le coup après être entré en collision avec une voiture dans cette même rue, a poursuivi Liz. Il avait été attiré par mon compagnon en raison de la ressemblance avec son frère. Il pleurait, car il ne comprenait pas ce qu'il lui était arrivé et ne savait pas où aller.

» Nous lui avons expliqué dans quelle situation il se trouvait. Au même moment, un autre esprit s'est approché. C'était une femme qui disait être une tante. Le jeune homme a accepté de la suivre. Nous étions si heureux d'avoir pu l'aider.

Dans cet exemple comme dans beaucoup d'autres du même type, l'esprit a été libéré rapidement et facilement par les médiums. Après avoir senti sa présence, Liz et son apprenti lui ont envoyé de l'amour et de la compassion. Il a cessé d'être confus, ce qui a permis à sa tante, qui l'attendait probablement depuis le moment de l'accident, de se manifester et de le mener vers la lumière.

L'électrocution

Les expériences extra-corporelles nous aident à comprendre ce qui survient après la mort, comme je l'avais moi-même découvert lors de mon séjour chez mon oncle. Dans son livre célèbre intitulé *La projection du corps astral*, Sylvan Muldoon décrivait un accident terrible où il avait failli y laisser sa peau.

Un jour, alors qu'il marchait sur le trottoir en compagnie de son frère et d'un ami après un orage violent, il a aperçu un câble électrique qui pendait dans la rue. Par étourderie, Muldoon a touché au câble sans avoir vérifié au préalable s'il était encore sous tension. Le choc lui avait fait perdre connaissance.

L'instant d'après, en rouvrant les yeux, il a vu son corps physique qui gisait dans la boue, une main encore agrippée au câble électrique. Il sentait dans son corps astral la terrible douleur provoquée par le courant électrique qui avait traversé son corps physique. Voyant ses compagnons figés de terreur, qui n'osaient pas le toucher de peur d'être eux-mêmes électrocutés, il a crié : « Arrêtez le courant ! », mais ceux-ci ne pouvaient pas l'entendre. Puis, à son grand soulagement, des gens sont venus à son secours. Un homme est parvenu à l'atteindre, et à ce moment, Muldoon était revenu dans son corps.

La suite des événements est très instructive. Muldoon a écrit :

> Presque chaque nuit après cette tragédie, j'ai fait un rêve où je revivais toute la scène exactement comme cela s'était passé… Une fois, en me réveillant de ce cauchemar, je me suis retrouvé à l'endroit exact où

cette terrible expérience s'était produite, endroit situé à plusieurs pâtés de maisons de mon domicile.

Muldoon s'est aussi demandé ce qui serait advenu ce jour-là, s'il était décédé :

> Même en appartenant dorénavant au monde invisible, je n'aurais guère été différent de ce que je suis actuellement ; la nuit, dès que mon inconscient aurait pris le dessus et que j'aurais plongé dans mes rêves, j'aurais revécu ma mort à travers mon corps astral exactement comme je l'avais revécue à travers ce même corps astral alors que j'étais toujours physiquement vivant.

Il en est arrivé à la conclusion qu'il serait devenu un esprit terrestre dont le niveau de conscience ressemblerait à celui d'une personne en train de faire un cauchemar. Chaque fois qu'il penserait à cet événement terrifiant, il retournerait au lieu où il s'était produit et revivrait ce qui s'était passé. Quiconque se trouverait là au même moment aurait l'impression que l'endroit est hanté.

Au meurtre !

Il existe de nombreux cas de victimes de meurtre qui hantent l'endroit où elles ont perdu la vie. Cela peut sembler injuste. Pourquoi une victime innocente devrait-elle continuer de souffrir ? C'est la triste vérité : une personne innocente peut rester pendant un certain temps désorientée et confuse après son décès, surtout si la mort est survenue de manière violente ou traumatisante.

Heureusement, le monde spirituel fait preuve de compassion pour ces esprits malheureux qui souffrent. Les gens qui meurent dans des circonstances tragiques sont accueillis avec amour. Même si leur état mental nous empêche d'établir rapidement un lien avec eux, un esprit bienveillant les prend en charge le plus tôt possible.

Parmi les croyances populaires à propos des fantômes, on trouve celle de la victime qui pourchasse ses meurtriers par-delà la mort. Il existe pourtant des exemples de ce phénomène. En 1983, une jeune femme du nom de Jacqueline Poole a brutalement été assassinée dans son appartement londonien. Quelques jours après, une médium du nom de Christine Holohan a capté un sentiment de grande tristesse. Sentant qu'elle avait attiré l'esprit d'une jeune femme, il lui a fallu un certain temps pour comprendre qu'il s'agissait de Jacqueline, dont elle avait appris le meurtre dans les journaux.

Christine m'a raconté cette histoire.

— Jackie était déprimée et très, très en colère. Elle s'est aussi montrée très insistante : elle n'irait nulle part tant et aussi longtemps que son meurtrier ne serait pas derrière les barreaux. Elle me suivait partout. Elle s'est emparée de moi et me harcelait pour que j'aille voir la police. Je lui répétais que je ne pouvais pas y aller sans preuve, car les policiers refuseraient de me croire. Elle m'a alors fourni cette preuve.

Jackie a donné à Christine son nom de jeune fille, qui n'avait pas été divulgué dans les journaux. Elle lui a aussi décrit la scène du crime et lui a donné le surnom du meurtrier, « Pokie ». Impressionné par ces informations, le détective responsable de l'enquête a été forcé d'admettre que Christine n'avait pu obtenir ces renseignements autrement que par l'entremise de la victime elle-même.

— Malgré cela, Jackie n'est pas partie tout de suite, avait ajouté Christine. Il lui a fallu un certain temps avant qu'elle ne lâche prise. Elle a fini par le faire, et je pense qu'elle est en paix maintenant.

Cet intense désir que justice soit faite n'est pas le lot de toutes les victimes de meurtre. Certains esprits, peu importe la façon dont ils ont trépassé, sont disposés à pardonner au meurtrier, car le niveau de compréhension spirituel qu'ils ont acquis les pousse à ressentir de la pitié, et non de la haine, envers leur assassin.

J'en ai eu la preuve lors d'une séance que j'avais organisée pour le compte d'une mère dont le fils avait été tué pendant une bagarre dans un pub. Comme son fils n'était pas l'instigateur de l'échauffourée, la mère était déterminée à voir le coupable sous les verrous. Or, c'est son fils lui-même qui a tenté de l'en dissuader.

— Lâche prise, a-t-il supplié. Tu n'as pas besoin de faire ça pour moi.

Toutefois, sa mère a refusé de croire qu'il n'était pas en colère et a juré de mener la lutte jusqu'au bout.

J'éprouvais de la sympathie pour cette mère. On ne pouvait la blâmer de souhaiter que le coupable soit puni. Quoique je n'aie plus entendu parler d'elle après cette séance, j'espère que son vœu a été exaucé, même si son fils a trouvé la paix et qu'il ne voulait pas voir sa mère se tourmenter pour que justice soit rendue.

J'ai déjà souligné l'importance du pardon, que l'on se trouve dans le monde physique ou spirituel. Les esprits incapables de pardonner, même s'ils sont d'innocentes victimes d'un crime, peuvent se transformer en esprits terrestres en raison de leur haine et de leur colère. Ces émotions forment un nuage sombre autour d'eux qui leur bloque l'accès à la lumière. Ils doivent apprendre à évacuer cette colère et à confier à la justice divine le sort de ceux qui les ont offensés. C'est le prix à payer pour progresser. En outre, d'autres esprits peuvent les aider en leur prodiguant de l'amour, en les encourageant et en leur montrant comment trouver à l'intérieur d'eux la force de pardonner.

Le fantôme de Rockland County

Quand une personne meurt dans un état de peur et de terreur extrêmes, les émotions ressenties peuvent s'imprimer si profondément dans sa tête qu'elles en deviennent indélébiles. La victime vit alors dans un état de cauchemar perpétuel, parfois sans être consciente qu'elle est physiquement décédée. Hans Holzer en donnait l'exemple suivant dans son livre *Ghost Hunter*.

En 1944, un journaliste du nom de Danton Walker a fait l'acquisition d'un manoir de style colonial en ruine situé dans la région de Rockland County, dans l'État de New York. Cette résidence avait été témoin de deux conflits, soit la guerre d'indépendance des États-Unis et la guerre de Sécession. Ainsi, en 1779, le général Wayne en avait fait son quartier général lors de la bataille de Stony Point. Après avoir dépensé une fortune pour rénover le manoir et s'y installer, Walker a été témoin de divers phénomènes psychiques comme des bruits de pas ou des coups dans la porte. Les manifestations étaient si impressionnantes qu'il a été obligé de se réfugier dans un pavillon situé sur le domaine. Sentant que son manoir était hanté par un soldat républicain, il a demandé au parapsychologue Hans Holzer de faire enquête.

Holzer a inspecté le manoir en compagnie d'Eileen Garrett, une médium renommée à cette époque. Par la suite, Holzer, Garrett, Walker et un psychiatre qu'Holzer a identifié dans son livre sous le pseudonyme de «Dr L» ont organisé une séance. Après qu'Eileen est entrée en transe, son guide, Uvani, a expliqué à travers elle que l'entité présente dans le manoir avait eu une vie très difficile et qu'au moment de sa mort, il n'avait pas toute sa tête.

Uvani lui a ensuite permis de s'emparer du corps d'Eileen. L'esprit qui s'est manifesté souffrait et avait peur. Il s'exprimait avec un fort accent polonais sur un ton saccadé et ponctué de sanglots. Les participants à la séance avaient de la difficulté à saisir le sens de ses paroles. Peu à peu, son histoire a commencé à prendre forme. Il s'agissait d'un mercenaire polonais qui avait servi dans l'armée américaine. Capturé par les Anglais, il avait été battu à mort parce qu'il avait refusé de dévoiler l'endroit où étaient cachés les plans qu'on lui avait confiés.

Le compte rendu détaillé fait par Holzer lors de cette séance révèle l'état d'esprit torturé de cet homme. Terrifié, il s'était accroché au Dr L en le suppliant de le protéger. Il avait été attiré par le psychiatre parce qu'il lui rappelait son frère, qui avait également été tué. Il n'avait aucune idée du temps qui s'était écoulé depuis sa mort. Il avait l'impression que la bataille s'était déroulée «la veille».

Uvani a expliqué que la situation de cet homme s'apparentait à celle d'une personne dont l'état oscille entre le rêve et la réalité. Il avait parfois conscience d'être mort, mais à d'autres moments, il croyait toujours être en vie et souffrir le martyre. À la demande d'Uvani, l'esprit a quitté le corps d'Eileen en échange d'une promesse de faire de « beaux rêves ». La séance a pris fin, et la paix est revenue dans le manoir.

Mort au champ d'honneur

Les horreurs de la guerre se prolongent jusque dans la mort. Les soldats tombés au champ d'honneur trépassent dans la peur, le vacarme, la confusion et la vision horrible des corps mutilés. Le cœur rempli de haine pour l'ennemi, ils emportent ce sentiment dans la mort, perdus dans le brouillard épais créé autour du champ de bataille par les émotions collectives des soldats. Qu'ils soient victimes des combats ou de la torture comme dans le cas du soldat polonais, les esprits qui arrivent de cette manière dans l'au-delà sont si traumatisés qu'ils restent prisonniers de leurs souvenirs.

Il existe de nombreux témoignages de soldats qui décrivent ce qu'ils ont vécu après leur mort. Le livre *Lychgate* de Marshal Hugh Dowding, un général de l'armée de l'air, propose des exemples particulièrement éclairants.

Lord Dowding, qui commandait les forces aériennes britanniques lors de la bataille d'Angleterre, était un adepte du spiritisme, une particularité qui le distinguait de ses collègues officiers. Pendant la Seconde Guerre mondiale, il a participé à des séances avec des médiums renommés à l'époque comme Estelle Roberts. Lors de ces séances, des militaires décédés, hommes et femmes, ont été réunis à leur famille. Certains ont raconté de manière saisissante ce qui leur était arrivé après avoir quitté leur corps. Dans beaucoup de cas, ils ont continué de se battre aux côtés de leurs camarades vivants, ignorant qu'ils avaient été tués au combat.

> Je ne pensais pas que la mort ressemblait à cela. Je croyais que c'était la grande noirceur, c'est tout. Ce jour-là, on a fait feu sur nous, à un point tel que je ne voyais pas comment nous allions nous en sortir. Puis, tout à coup, plus rien. Pourtant, je me sentais très bien. Je n'arrivais pas à croire que j'étais mort. Je voyais mon corps criblé de trous et pourtant, je refusais de le croire. J'ai essayé de me dégager, mais j'étais enseveli sous les corps. Nous avions été salement touchés.

L'homme a aperçu son commandant, qui était aussi confus que lui. Il lui avait alors demandé ce qu'il devait faire.

> «Réarme la mitraillette, mon gars», qu'il a dit comme il en avait l'habitude. Je voulais lui obéir, mais j'étais incapable de prendre les munitions. Ce

n'est pas qu'elles étaient trop lourdes, c'est qu'elles me glissaient simplement des doigts. J'ai prévenu le commandant, qui a essayé de m'aider en jurant comme un charretier...

Beaucoup de « combattants de l'Au-delà » se sont ensuite joints à eux. L'homme voyait la bataille qui faisait rage, mais il restait invisible aux yeux de l'ennemi. Puis, il a constaté que ses pieds ne touchaient plus le sol, qu'il flottait dans les airs. Ignorant toujours qu'il était mort, il s'est agenouillé pour prier. C'est à ce moment qu'il a vu un homme vêtu comme un Arabe et qu'il s'est demandé comment un civil se trouvait là. Cet Arabe était un sauveteur qui intervenait pour aider les morts et les guider, si possible, vers la lumière. L'Arabe a dit au soldat qu'il l'emmenait vers le Christ.

J'ai essayé de voir où se trouvaient les autres, mais je ne voyais qu'une lumière aveuglante. J'avais l'impression qu'elle remplissait ma tête et qu'elle me libérait de quelque chose qui me retenait. La voix s'est de nouveau fait entendre : « Ton sacrifice a fait de toi un héros. » Puis, je ne me rappelle plus rien. Cela a été la dernière chose que j'ai vue sur Terre.

Le pilote de la Royal Air Force

Les soldats qui meurent dans des circonstances tragiques ne sont pas tous aussi confus. Parfois, même au beau milieu d'une bataille, le passage vers la mort peut se faire sans heurts.

Lesley Garton, une médium qui vit dans le Dorset, m'a raconté ce témoignage livré par un pilote de la Première Guerre mondiale prénommé George.

> J'étais à bord de mon avion et l'instant d'après, je flottais dans les airs. Au début, j'ai cru que j'avais sauté en parachute. J'ai vu l'avion s'écraser au sol. Puis, je me suis rendu compte qu'il ne se passait rien. Je ne descendais pas. Mon corps avait disparu. J'étais perplexe, je croyais que j'étais en train de rêver. Le temps a passé, et le ciel a pris une merveilleuse teinte bleue. J'étais conscient qu'il y avait de l'activité autour de moi. Une voix a dit : « Viens, mon vieux. Il n'y a plus rien à faire ici. Le temps est venu de partir. » Je me suis senti aspiré dans une espèce de vide, puis je me suis trouvé parmi des gens que je savais morts. J'ai alors compris que je l'étais, moi aussi.

En temps de guerre et de carnage, les esprits sont propulsés dans le monde spirituel sans aucune préparation. Si beaucoup d'entre eux réussissent à trouver leur chemin, d'autres s'égarent. Ceux qui déclenchent une guerre portent la responsabilité des souffrances infligées non seulement aux vivants, mais aussi aux morts. Cela nous donne à réfléchir et nous amène à prier pour que cessent toutes les formes de haine et de violence et que s'installe la paix dans notre monde troublé.

11

Les esprits malins

Je définis les esprits malins comme des entités spirituelles qui, délibérément et en toute connaissance de
cause, tournent le dos à la lumière. Ces esprits cherchent à semer la haine et le chaos autour d'eux et
empêchent les autres esprits d'entrer dans la lumière.

Quand j'ai commencé à libérer des esprits, j'ignorais l'existence des esprits malins. Un médium m'avait
d'ailleurs confirmé sur un ton assuré que de tels esprits
« n'existaient pas ».

J'aimerais que ce soit vrai, mais malheureusement,
ce n'est pas le cas. J'ai déjà expliqué qu'il est rare
de rencontrer ces esprits. En fait, pendant toute ma
carrière, je n'ai été témoin que de trois ou quatre cas où
j'aurais pu dire qu'il s'agissait d'une force de nature
maligne. Chaque fois, il ne faisait aucun doute que la
situation était périlleuse. La puissance et la malice que
j'affrontais étaient si grandes que j'ai dû user de toutes
mes forces, et demander l'aide de mes guides, pour me

protéger. Tout médium qui effectue une opération de libération doit savoir que de tels esprits existent et qu'il risque d'être l'objet d'une attaque au moment où il s'y attend le moins.

L'esprit qui refusait de s'en aller

Il y a quelques années, j'ai reçu un appel téléphonique d'une femme prénommée Margaret qui affirmait qu'un esprit frappeur s'était installé dans sa maison. Elle me demandait si je pouvais la recevoir pour lui donner des conseils. À en juger par ses propos, j'avais l'impression qu'il ne s'agissait pas d'un cas très sérieux et j'avais accepté. Je n'avais alors aucune idée des problèmes auxquels j'allais me heurter par la suite.

Une ou deux heures avant l'arrivée de Margaret, j'ai commencé à être agitée, de mauvaise humeur et irritable, sans raison apparente. J'ai alors senti la présence d'un esprit mâle qui rôdait autour de moi. Je savais que c'était l'esprit dont Margaret m'avait parlé et qu'il s'agissait d'un esprit terrestre. Je suis allée dans mon sanctuaire pour essayer de lui parler.

Comme d'habitude, je lui ai suggéré sur un ton bienveillant d'entrer dans la lumière. En guise de réponse, j'ai ressenti une hostilité évidente accompagnée de mots inhabituels de la part d'un être spirituel. J'ai persévéré pendant un moment, mais sans résultat.

Après l'avoir confié à mes guides, je suis retournée vaquer à mes occupations.

Quand Margaret est arrivée, il était toujours là. Je lui ai raconté ce qui venait de se passer tout en évitant de trop dramatiser. Elle m'a dit que c'était son père, un ivrogne qui avait abusé d'elle. Elle ne voulait rien savoir de lui, ce qui était très compréhensible. Toutefois, son père était une tête forte qui cherchait à s'immiscer dans mes pensées pour empêcher la mère de Margaret, que celle-ci adorait, d'entrer en contact avec sa fille.

La séance a été un échec, et je sentais la déception de Margaret. Elle est partie, mais son père, lui, a décidé de rester. Pendant le reste de la journée, il m'a suivie partout. Je suis retournée m'asseoir dans mon sanctuaire pour essayer de le convaincre de s'en aller, mais il a refusé. Je sentais son énergie qui augmentait et j'ai commencé à être nerveuse. J'avais une autre séance prévue dans la soirée et je savais qu'avec cette présence maligne dans les parages, je ne pourrais pas communiquer clairement avec les proches des participants. J'ai rassemblé toutes mes forces et j'ai demandé à mes guides et aux anges de lumière de m'aider à le faire partir.

Mes guides sont intervenus. C'était un cas de force majeure, et les guides ont littéralement pris au collet cet esprit pour l'expédier de force vers le monde auquel il appartenait. La paix est revenue dans ma maison.

Ce jour-là, j'ai appris la leçon salutaire de ne jamais rien tenir pour acquis dans mon travail et d'être constamment à l'affût du danger qui se cache parfois derrière des cas en apparence anodins.

Les esprits trompeurs

Les esprits malins peuvent être rusés et fourbes. Ils ne révèlent pas toujours leur présence en faisant du bruit ou en faisant virevolter des objets. Leurs méthodes sont plus subtiles et, par le fait même, plus pernicieuses. Ils jouent dans la tête de leurs victimes. Parfois, ils se déguisent en esprits inoffensifs ou en âmes perdues qui ont besoin d'aide. Ils gagnent ainsi la sympathie de leurs victimes et acquièrent sur elle une emprise dont on se dégage difficilement. Un des pires cas dont j'ai été témoin est celui d'une jeune femme appelée Vanessa.

Vanessa était âgée de 20 ans. C'était une femme intelligente et sensible qui était très timide et qui avait de la difficulté à se faire des amis. Douée de capacités psychiques naturelles, elle méditait régulièrement. Un jour pendant qu'elle méditait, elle a capté l'esprit d'un jeune homme. Par télépathie, il lui a raconté qu'il avait été victime d'un meurtre. Touchée par son histoire, elle a voulu l'aider en s'ouvrant davantage à lui et en l'encourageant à se rapprocher d'elle. Elle n'a soufflé mot à personne de l'existence de ce jeune homme et a continué de communiquer quotidiennement avec lui. Il lui a révélé d'autres détails sur sa vie, se décrivant comme un être malheureux et incompris. Il a affirmé être tombé amoureux de Vanessa, et un lien étroit s'est créé entre eux.

Toutefois, cet esprit n'était pas ce qu'il prétendait être. Peu à peu, sa personnalité a commencé à changer. Il exigeait davantage de son temps et de son attention, comme s'il cherchait à diriger sa vie. Il incitait même Vanessa à s'isoler de plus en plus, afin qu'elle soit davantage avec lui. Alerté par son comportement étrange, l'entourage de Vanessa a commencé à lui poser des questions, mais Vanessa n'avait personne à qui se confier. Lorsqu'elle a finalement compris qu'elle était sous l'emprise d'un esprit malin, elle a tenté de s'en débarrasser, mais celui-ci avait acquis une telle influence que Vanessa ne pouvait plus le chasser de ses pensées.

Vanessa a consulté un médium pour obtenir de l'aide. En fait, elle a consulté plusieurs médiums. Tous sont parvenus à la libérer temporairement de son bourreau, mais celui-ci revenait aussitôt à la charge. Le problème, c'était que Vanessa ne souhaitait pas vraiment se défaire de lui. Elle était consciente de flirter avec le danger, mais cet esprit la fascinait, sans compter qu'elle aimait l'attention dont elle était l'objet. Chaque fois qu'un médium réussissait à le chasser, elle le ramenait vers elle en pensant à lui.

Quand elle est finalement venue me voir, je lui ai conseillé de se prendre en main. Elle devait demander à cet esprit de partir et cette fois, lui faire comprendre qu'elle était sérieuse. Je lui ai également suggéré de se trouver d'autres intérêts, afin de ne plus penser continuellement à lui. Ce conseil a été plutôt mal accueilli sur le coup, mais heureusement, peu de temps après, Vanessa s'est fait un petit ami, ce qui lui a donné la force de mettre fin à cette relation.

La possession

Il y a beaucoup d'histoires d'horreur mettant en scène des cas de possession. Ces histoires sont d'habitude grandement exagérées et versent dans le sensationnalisme. La possession est un état où une entité spirituelle s'empare du corps et de l'âme d'une personne. C'est un phénomène extrêmement rare. S'il est difficile pour un esprit d'entrer en contact avec une personne vivante, s'emparer d'elle l'est encore plus ! On recense néanmoins quelques cas véritables de possession. Un des plus célèbres est celui de Watseka.

En 1865, Mary Roff, une fillette qui vivait à Watseka dans l'Illinois, rendait l'âme en proie à un accès de folie. Treize ans après, Lurancy Vennum, une autre fillette sans lien de parenté avec la famille Roff, sombrait, elle aussi, dans la folie. Son médecin traitant a constaté que plusieurs esprits, ayant à leur tête Mary

Roff, s'étaient emparés d'elle. La mère de Mary, qui était présente lors de l'examen médical de Lurancy, a affirmé avoir reconnu sa fille et a imprudemment conseillé à Lurancy de permettre à Mary de s'emparer de son corps. Lurancy a accepté.

Pendant quatre mois, Mary a exercé un pouvoir absolu sur le corps de Lurancy. Elle a demandé de rentrer à la « maison », c'est-à-dire au domicile des Roff. Une fois sur place, Lurancy s'est comportée exactement comme la fillette décédée, reconnaissant chacun des objets dans la maison ainsi que les amis de Mary. Lurancy a même été capable de raconter chaque petit incident survenu dans la vie de Mary et dont elle ignorait tout auparavant. Au bout de quatre mois, Mary a annoncé qu'elle quittait le corps de Lurancy. Après qu'une Mary en larmes a fait un dernier adieu à sa famille, Lurancy est entrée en transe. À son réveil, elle était redevenue elle-même. Par la suite, Mary a réapparu de temps à autre pendant de courtes périodes, mais sans jamais exercer un contrôle semblable à celui de cette première rencontre.

L'invasion

Le cas Watseka est un exemple de possession extrême et exceptionnel. Habituellement, la possession par un esprit provoque des changements d'humeur et des comportements inhabituels. On parle alors de possession temporaire ou partielle. Ce type de possession peut se produire lorsqu'un esprit doté d'une personnalité dominante et très forte se lie avec une personne vulnérable à la personnalité effacée. Il y a aussi les cas comme Vanessa où la personne, cherchant à aider un esprit, s'ouvre délibérément à lui.

Un esprit solitaire, même s'il est bien intentionné, peut néanmoins causer des dégâts considérables en s'accrochant à une personne qui semble capable de l'aider et de l'accompagner.

Dans son livre *True Hunting*, Hazel Denning raconte l'histoire d'un jeune homme appelé Chris dont le meilleur ami, Perry, s'était enlevé la vie. Par la suite, Chris a commencé à se sentir déprimé et à entretenir des pensées suicidaires. Il était conscient que Perry était à l'origine de ces émotions, mais il sentait que son ami essayait d'entrer en contact avec lui et qu'il devait lui venir en aide.

Quelques semaines plus tard, Chris se fracturait la clavicule après un accident de voiture dont les conséquences auraient pu être beaucoup plus graves. Chris avait senti quelque chose s'emparer du volant tout juste avant que la voiture ne s'enroule autour d'un poteau de téléphone. Il était convaincu que c'était Perry qui avait essayé de le tuer.

C'est à ce moment que Chris a consulté Hazel Denning. Hazel lui a expliqué que selon toute vraisemblance, le geste de Perry n'était pas malicieux. Il voulait simplement que son ami vienne le rejoindre dans l'Autre monde. Chris a compris qu'il ne pouvait laisser son ami l'influencer de cette manière. Il a parlé à Perry et lui a demandé d'entrer dans la lumière. Malgré sa tristesse de se séparer de lui, Chris a cessé dès ce moment d'être déprimé.

La vulnérabilité aux invasions

Perry n'était pas un esprit malin. Dans son cas, il s'agissait de simple maladresse. Les esprits malins cherchent plutôt à imposer leur volonté sur des personnes influençables, afin qu'elles se conforment à leurs désirs. Par exemple, il arrive parfois que des meurtriers ou des personnes ayant commis des crimes violents prétendent avoir agi sous l'influence de forces extérieures qui ne dépendaient pas de leur volonté ou avoir obéi à des voix dans leur tête qui leur disaient quoi faire.

Il est possible que dans certains cas, ces individus aient été victimes d'un esprit malin, ce qui ne les exonère pas de leur crime. Les esprits malins ne peuvent influencer que les personnes dont une partie d'elles-mêmes se trouve déjà dans les ténèbres. Ils sont attirés par des individus qui nourrissent de la haine ou de la malice et ils récupèrent leurs émotions.

Les drogues et l'alcool peuvent rendre une personne plus réceptive sur le plan psychique et par le fait même, plus sujette aux invasions. Plus une personne est dépendante de ces substances (une tendance qu'un esprit malin s'empressera d'encourager), moins elle pourra résister à l'influence d'un esprit.

La planche Ouija est également un jeu dangereux. Ces planches, qui sont parfois considérées comme un moyen facile et amusant d'établir un lien avec le monde spirituel, sont autant de portes ouvertes susceptibles de laisser entrer un esprit rôdant dans les parages. S'il s'agit d'un esprit bienveillant, il n'y a aucun danger, même si ce moyen de communication simpliste produit le plus souvent un fatras de lettres sans queue ni tête plutôt qu'un message cohérent.

Pour les esprits malins, une planche Ouija offre une bonne occasion de s'amuser. Si les personnes qui utilisent cette planche ignorent tout du monde psychique, elles ne sentiront pas que l'énergie qu'elles captent est négative. En tentant de communiquer de cette manière, ces gens ouvrent une brèche dans laquelle les esprits peuvent s'engouffrer et qui sera difficile à refermer par la suite.

Les personnes atteintes d'une maladie mentale ou d'un déséquilibre quelconque sont également vulnérables à une intrusion de la part des esprits. Il ne s'agira pas nécessairement d'un esprit malin, mais simplement d'un esprit perdu et confus. Un patient qui se plaint d'entendre des voix peut être sous l'influence de plusieurs esprits terrestres, même si ces voix peuvent se combiner et se mélanger aux autres voix provenant de son subconscient.

Il y a aujourd'hui des psychiatres qui reconnaissent ce phénomène. C'est une tendance encourageante, surtout lorsque ces psychiatres acceptent de s'associer à des médiums pour les aider à traiter ces patients. Le médium peut entrer en contact avec l'esprit pour le convaincre de partir, ce que le psychiatre ne peut faire, à moins de posséder des aptitudes psychiques. Le psychiatre peut ensuite traiter son patient, guérir ses blessures psychiques, et le renforcer psychologiquement afin qu'il puisse résister à d'autres attaques.

Si tout ceci vous semble alarmant, permettez-moi de vous rassurer sur le point suivant. Nous possédons tous des mécanismes naturels de défense qui nous protègent des invasions, qu'il s'agisse d'un esprit malin ou non. Aucun esprit ne peut s'emparer de nous ou nous posséder, à moins de lui en laisser la possibilité.

Les esprits « délinquants »

Les esprits malins sont attirés par les endroits où il y a une négativité. Prenons par exemple une maison située dans un quartier défavorisé où la criminalité, la toxicomanie et le chômage, ainsi que tous les problèmes qui les accompagnent, sont endémiques. Si vous pouviez examiner cette maison à partir du monde spirituel, vous constateriez la présence d'esprits terrestres. Ce sont les personnes qui y habitaient. Après leur décès, ces gens sont demeurés au même endroit parce qu'ils n'avaient nulle part où aller. Je n'affirme pas ici que tous ceux qui ont vécu dans de telles conditions deviennent des esprits terrestres après leur mort. Je dis plutôt que ces conditions créent un environnement spirituel qui est le reflet de l'environnement physique dans lequel ces personnes vivaient.

Dans la plupart des cas, il s'agit d'esprits terrestres perdus et confus, et non d'esprits malins. Cependant, les esprits malins se servent d'eux et essaient de les diriger. Ils se comportent comme des voyous qui recrutent des individus faibles ou désœuvrés pour les inciter à commettre des crimes qu'ils refuseraient de faire en temps normal.

Cette même maison, habitée cette fois par des médiums, attirera ces esprits comme un aimant, car ceux-ci savent qu'elle contient une quantité d'énergie qu'ils peuvent récupérer. S'ils voient qu'ils peuvent effrayer les résidents, ils inviteront tous leurs amis, et vous vous trouvez alors avec un gros problème sur les bras! Ajoutez d'autres facteurs comme des adolescents perturbés, de la tension et des rivalités, et vous avez la recette parfaite pour un désastre.

Une maison pleine d'esprits

Certains médiums plus courageux que moi, comme Leslie Moul de Bournemouth, se spécialisent dans les cas extrêmes d'attaques par les forces des ténèbres. Un jour, Leslie a reçu un appel d'urgence pour se rendre au domicile d'une famille aux prises avec un esprit frappeur violent. L'appel avait été fait par le travailleur social qui s'occupait du dossier de cette famille et qui avait entendu parler des médiums. Selon lui, la présence d'un médium chevronné était requise de toute urgence.

À son arrivée, la police était déjà sur les lieux. C'est alors que Leslie a aperçu un policier sortir en trombe de la maison.

— Vous êtes plus brave que moi d'entrer là-dedans, a-t-il lancé. C'est une maison de fous!

La situation était effectivement chaotique. Leslie m'a raconté cette histoire :

— La vaisselle volait dans tous les sens, et les meubles se promenaient d'une pièce à l'autre. Deux policiers terrifiés étaient retenus contre un mur par une grosse commode. Une conduite de gaz avait été arrachée du mur et enroulée comme un nœud! Je n'avais jamais rien vu de tel.

» Nous avons réussi à libérer les policiers et graduellement, l'énergie a commencé à diminuer. J'ai pu
voir les esprits. Le chef de la bande était un toxicomane qui avait vécu dans le quartier. Il ignorait qu'il
était mort et croyait être encore sous l'effet de la
drogue. Il ne comprenait pas pourquoi les personnes
vivantes ne le voyaient pas. Les autres esprits terrestres avaient été attirés par son énergie et avaient ajouté
la leur.

Une fois les esprits chassés de la maison, Leslie a
découvert comment une quantité d'énergie si phéno-
ménale avait pu s'accumuler dans cette maison. Cette
famille était composée d'une mère alcoolique, d'un
père toxicomane et de deux adolescents perturbés.
C'était en jouant avec une planche Ouija que la mère
avait accidentellement déclenché le problème. Leslie a
conseillé à la famille de quitter leur maison pendant
un mois. À leur retour, le problème était disparu.

Jessica

Certains esprits terrestres sont victimes d'esprits
malins qui les empêchent d'entrer dans la lumière. J'ai
été témoin d'un cas triste et émouvant : celui d'une
jeune toxicomane prénommée Jessica.

Une de mes amies dont je vous ai déjà parlé, Ann,
prétendait que l'esprit d'une adolescente s'était installé
dans sa maison. Ann captait des sentiments de peur et

d'anxiété. Un médium en visite avait même vu le visage d'une jeune fille se superposer à celui d'Ann. La présence de l'esprit se faisait particulièrement sentir le soir dans sa chambre à coucher, ce qui l'empêchait de dormir. Ann ne connaissait pas l'identité de cette adolescente, mais elle savait qu'elle devait faire quelque chose et elle a fait appel à mes services.

Je me suis rendue chez elle. Après avoir découvert que l'esprit s'appelait Jessica, Ann a été en mesure de l'identifier. Il s'agissait d'une amie de son fils, une adolescente de 18 ans qui prenait de la drogue et qui s'était suicidée. Même si le fils d'Ann ne touchait pas aux drogues, il s'était lié d'amitié avec Jessica et avait essayé de lui venir en aide. C'est pour cette raison que Jessica, qui était devenue un esprit terrestre, avait été attirée vers lui avant de se lier à Ann en raison de la lumière qui l'entourait.

Jessica était en larmes quand elle est venue vers moi. Cette jeune femme avait vécu une vie désespérément malheureuse. Déshéritée par ses parents, elle avait vécu dans la rue. Elle avait sombré dans le crime, afin de trouver l'argent pour payer sa drogue. À son décès, des esprits malins qui rôdaient autour de l'endroit où elle avait l'habitude d'acheter sa drogue s'étaient emparés d'elle. Ces esprits la terrorisaient. Ils lui disaient qu'elle était une mauvaise personne et que si elle essayait de s'enfuir, elle irait tout droit en enfer. Jessica était loin d'être une mauvaise personne, mais elle était influençable en plus d'être rongée par la culpabilité et le remords. Toutefois, elle se sentait en sécurité avec Ann, particulièrement quand elle était dans sa chambre, car il y avait dans cette pièce une énergie bienveillante qui la protégeait.

Les guides sont intervenus pour expliquer à Jessica qu'elle n'avait rien à craindre et qu'elle ne serait pas punie. Ils l'ont entourée d'amour en l'éloignant des esprits malins qui la tourmentaient. C'est avec joie et soulagement qu'elle est entrée dans la lumière, où l'attendaient des membres de sa famille.

Les exorcismes

Depuis toujours, l'Église catholique a recours au rite de l'exorcisme pour expulser les esprits. Suivant l'exemple de Jésus, qui pourchassait ce que la Bible appelle les « esprits impurs », elle tente de faire fuir les esprits en utilisant un rituel où se mêlent « les cloches, le livre et la chandelle ». Les cloches qui sonnent symbolisent l'adieu au défunt, le livre (la Bible) qui se referme symbolise la parole divine à laquelle l'âme n'a pas accès et la chandelle qui s'éteint symbolise la lumière dont est privée l'âme en perdition.

Pour un médium, cette méthode est cruelle et témoigne d'une totale ignorance du monde spirituel, car elle suppose que tous les esprits qui côtoient les êtres vivants sont des esprits malins. Aucune distinction n'est faite entre les esprits malins et les esprits terrestres qui doivent être libérés.

Certains membres du clergé préfèrent parler de délivrance plutôt que d'exorcisme. Cette méthode est moins brutale, certes, mais elle vise néanmoins à délivrer la victime d'une attaque perpétrée par une entité spirituelle, et non à reconnaître les besoins de l'esprit lui-même. En réalité, la plupart des prêtres hésitent à se livrer à de telles pratiques et préfèrent associer les cas de maison hantée, de possession ou d'intrusion à des problèmes d'ordre psychologique.

Faire appel à un prêtre ou à un pasteur pour libérer une maison hantée peut parfois aggraver le problème. L'Église incarne une autorité morale. L'esprit, surtout s'il n'est pas de confession chrétienne, se montrera rébarbatif devant un prêtre qui tente de le chasser, ce qui peut provoquer des perturbations encore plus grandes. Un membre du clergé ne possédant aucune aptitude sur le plan psychique court le risque de créer un lien entre lui et l'esprit et de le ramener chez lui.

Les médiums utilisent rarement le mot « exorcisme ». Leur objectif n'est pas d'exclure l'esprit, mais de le libérer et préférablement de le faire entrer dans la lumière. Si c'est impossible, ils font appel aux guides, qui prendront les moyens qu'ils jugent les plus appropriés. L'exorcisme est utilisé uniquement pour expulser les esprits qui refusent de coopérer.

Procéder à un exorcisme est un travail difficile, exigeant et dangereux. Certains médiums sont plus doués que d'autres à ce chapitre, notamment Philip Steff, un médium qui vit à Bath. Philip mène des opérations de sauvetage depuis plus de 30 ans. Il a fait plusieurs apparitions à la télévision, et son nom a été cité dans de nombreux livres. Il considère l'exorcisme comme un aspect distinct de son travail. Comme il l'explique, un exorcisme requiert une démarche différente.

Les exorcismes sont habituellement plus violents. Vous devez affronter le problème de plein fouet. Les attaques psychiques sont réelles et ne doivent en aucun cas être sous-estimées. Les entités sont rusées, trompeuses et capables de causer un tort considérable. Elles doivent retourner là où elles viennent.

Le principal guide de Philip, Otto, était de son vivant un officier de l'armée prussienne. Personnalité forte aux idées bien arrêtées, la fermeté et la force d'Otto s'avéraient souvent utiles pour affronter des entités obstinées et déterminées à ne pas céder un pouce. Un des cas les plus mémorables que Philip a gérés concerne une famille, Katherine, sa fille et ses deux fils. Les deux frères avaient fait un séjour aux États-Unis, où ils avaient adhéré à une secte satanique. Quand ils ont voulu quitter la secte, les membres les ont menacés de représailles physiques.

À leur retour en Angleterre, les deux frères ont compris que ce n'était pas une vaine menace, car ils sont tombés malades. Le premier, qui mesurait 1 m 80, a perdu énormément de poids, tandis que le second a été victime d'un accident vasculaire cérébral qui a causé des dommages au cerveau. De plus, les deux portaient des marques dans le dos semblables à des coups de fouet. En désespoir de cause, Katherine a fait appel à Philip.

La veille de sa visite, Katherine avait téléphoné à des amis chez qui Philip séjournait pour s'enquérir de l'heure de son arrivée. Au même moment, la porte de leur salon s'était brusquement ouverte, et un courant d'air glacé s'était engouffré dans la pièce. Interprétant l'incident comme un signe précurseur de ce qui l'attendait, Philip a appelé en renfort deux autres médiums.

Les médiums sont arrivés chez Katherine, qui leur a servi un repas. Pendant qu'ils mangeaient, ils se sont sentis devenir l'objet d'une attaque psychique. Deux d'entre eux ont même détecté une odeur semblable à celle qui est dégagée par les excréments humains. Après le repas, pendant que Philip était en train de discuter avec la famille, Katherine, le regard horrifié, s'est exclamée : «Quelque chose, là-bas... une forme noire!»

Philip a aperçu la forme, qui ressemblait à un gros oiseau noir. Cherchant à faire réagir cette entité, Philip s'est reculé vers elle pour essayer de la coincer contre une fenêtre. En se retournant, il a «vu» par clairvoyance la silhouette en forme d'oiseau passer à travers la fenêtre.

Les médiums, qui avaient bien besoin de faire une pause, sont allés se rafraîchir dans une piscine située tout près. La nuit s'annonçait longue. En soirée, ils ont préparé l'exorcisme. La table de la salle à manger a été transformée en autel avec une croix, des chandelles et une bible. Chaque membre de la famille a reçu un crucifix qui avait été aspergé d'eau bénite. Philip a invoqué les archanges de lumière et avec l'aide des guides, les médiums ont guéri cette famille.

Comme dans beaucoup de cas d'exorcisme, Philip a utilisé des chandelles, de l'eau bénite et d'autres objets qui ne possèdent aucun pouvoir particulier, mais dont la valeur est symbolique. Seuls les guides, les médiums ayant la foi et possédant une force spirituelle, et ultimement Dieu, ont le pouvoir de bannir un esprit. Cet exorcisme, comme la plupart des exorcismes menés par Philip (il admet volontiers qu'ils n'ont pas tous été couronnés de succès), a complètement transformé la vie de cette famille. Leur maison a été nettoyée, et les frères ont recouvré la santé.

Aucune condamnation n'est éternelle

Ces esprits représentent le côté dangereux du travail de libération. Ils servent d'avertissement pour nous indiquer que le monde spirituel, tout comme notre monde, est capable du meilleur et du pire, des ténèbres et de la lumière. Et pourtant, ces esprits possèdent, eux aussi, une étincelle de divinité. Ils peuvent toujours renoncer au diable pour se tourner de nouveau vers Dieu. Même si leur ascension vers la lumière peut prendre un temps incommensurable, leur condamnation n'est pas éternelle, à moins qu'ils ne choisissent de se condamner eux-mêmes.

Je vais maintenant aborder un aspect un peu différent du travail de libération d'un esprit, soit les cercles spirituels et la façon dont ils sont utilisés pour aider les esprits dans le besoin.

12

Les cercles spirituels

Jusqu'à présent, j'ai parlé des médiums qui visitent des maisons ou d'autres lieux pour libérer des esprits emprisonnés. Or, il arrive parfois que ce soit les guides eux-mêmes qui soumettent le cas d'un esprit terrestre à un médium. Cette situation peut se produire lorsque le médium est tranquillement assis chez lui ou qu'il est en train de recevoir des clients. Il existe également des groupes appelés «cercles spirituels». Ces groupes sont formés de médiums qui se réunissent sur une base régulière pour libérer des esprits. Cette tâche très gratifiante ne s'adresse pas aux amateurs ni aux cœurs sensibles.

Une mère possessive

Il y a plusieurs années, lorsque j'ai commencé à organiser des séances chez moi, il arrivait parfois que certains esprits se distinguent plus que d'autres. Ces esprits me rappelaient les fantômes qui hantaient la maison de mon enfance. Ils pouvaient prendre la forme d'une ombre qui rôdait autour des participants ou se tapissait dans un coin de la pièce. Ces entités ne dégageaient ni lumière ni joie. Je venais de découvrir l'existence des esprits terrestres.

Il peut exister un lien émotif profond entre ces esprits et les participants à mes séances. Par exemple, dans le cas de Joan et de son père, dont j'ai déjà parlé, ce dernier était devenu un esprit terrestre en raison des remords qu'il éprouvait à l'endroit de sa fille. Après être entré en contact avec elle et lui avoir demandé pardon, cet esprit avait pu être libéré.

Habituellement, même si les participants aux séances n'ont pas conscience de la présence de ces esprits, ils peuvent ressentir des émotions diverses, qu'il s'agisse d'un sentiment de dépression ou de malaise, dont ils ne peuvent expliquer l'origine. C'est leur subconscient qui est perturbé par les émotions d'un esprit. Une fois le contact établi et l'esprit libéré, ces gens retrouvent leur humeur normale. Il arrive toutefois que certains participants, comprenant la nature de leur problème, me demandent de l'aide.

Robert était un homme d'affaires prospère dont le père était décédé alors qu'il était encore enfant. En bon fils respectueux, il avait pris soin de sa mère, Shirley. Or, cette tâche s'était considérablement alourdie au fil des ans, surtout depuis que Shirley était devenue partiellement handicapée. De plus, elle refusait toute forme d'aide autre que celle de Robert. Même si Robert acceptait de subvenir à ses besoins, la dépendance trop grande de sa mère commençait à lui peser, surtout que celle-ci essayait de le diriger et de s'immiscer dans chaque aspect de sa vie.

Robert était venu me consulter quelques mois après la mort de sa mère. Il se sentait coupable, avouant que son décès avait été un soulagement pour lui. Il espérait maintenant reprendre sa vie en main, l'esprit en paix. Mais depuis le départ de sa mère, tout allait de travers. Il avait perdu confiance en lui, et sa carrière battait de l'aile. Il était devenu plus renfrogné et refusait souvent de sortir de la maison. Il se demandait s'il n'était pas victime de l'influence néfaste de sa mère, qui le punissait pour ne pas l'avoir assez aimée.

Je suis entrée en contact avec cette mère, dont je sentais la présence à proximité de son fils. J'ai alors été submergée par une vague d'émotion qui m'a déconcertée. Je n'avais jamais ressenti autant d'anxiété et de crainte, ce qui m'a permis de comprendre ce qui s'était passé. Shirley avait adoré son fils, mais c'était un amour possessif qui l'avait étouffé et qui l'étouffait encore. Depuis son décès, elle s'était accrochée à lui. Tout comme de son vivant, elle refusait de relâcher son emprise sur son fils, de peur de le perdre. Le père de Robert était pourtant à ses côtés, mais elle ne le voyait pas ou l'ignorait. Toute son attention était centrée sur Robert. Involontairement, elle le perturbait avec ses appréhensions et drainait son énergie.

Heureusement, les guides ont réussi à persuader cette femme de renoncer à ces émotions paralysantes. Elle s'est tournée vers son mari, qui l'a convaincue de le suivre. Avant qu'elle ne parte, j'ai dû lui promettre qu'elle pourrait rendre visite à son fils. Même si cette idée n'enchantait guère Robert, je lui ai expliqué qu'une fois la transition faite vers le monde spirituel, elle reviendrait avec une attitude différente. Elle serait plus heureuse, d'autant plus que son nouvel environnement lui offrirait d'autres centres d'intérêt.

La gouvernante

Les guides m'ont également confié des esprits terrestres qui s'attachaient non pas à un client, mais à l'endroit où il vivait. Quand je soupçonnais que c'était le cas et que je demandais à ce client s'il sentait une présence ou une quelconque activité psychique dans sa maison, la réponse était presque invariablement « oui ».

Je me suis demandé s'il était possible pour les guides de transférer des esprits terrestres de l'endroit qu'ils hantaient à ma propre maison. Ces esprits sont dans un état de semi-conscience et se déplacent comme des somnambules. Ils sont souvent confus, se demandant où ils sont et comment ils se sont trouvés là. Par conséquent, le simple fait de les sortir de leur environnement pour les amener dans ma maison pourrait être une étape importante vers leur libération. La lumière qui baigne dans ma maison leur ferait prendre conscience de leur état d'esprit terrestre. Les guides pourraient alors les diriger vers la lumière.

Nicole travaillait dans une résidence pour personnes âgées et logeait dans un petit appartement situé à l'étage supérieur. Tout comme plusieurs membres du personnel, elle sentait la présence d'une vieille dame. Tous ses collègues étaient effrayés, sauf Nicole, qui avait même l'impression que la vieille dame l'avait prise en affection. Parfois, elle venait la border dans son lit. Lorsque Nicole est venue me consulter, elle m'a proposé de visiter son appartement. Comme c'était situé assez loin de l'endroit où j'habitais, j'ai suggéré de demander aux guides de transférer cet esprit chez moi.

En prenant contact avec cette vieille dame, j'ai d'abord eu l'impression qu'il s'agissait d'une ancienne cliente de la résidence pour personnes âgées, mais j'ai rapidement compris que je faisais fausse route. Je me suis alors demandé s'il ne s'agissait pas plutôt d'une ancienne employée. Nicole m'a appris qu'avant d'être converti en résidence, l'immeuble avait abrité une famille. En conjuguant mes impressions psychiques avec les informations fournies par Nicole, nous avons pu rassembler les pièces du casse-tête.

Cette dame était une gouvernante qui s'était occupée des enfants de cette famille. Elle-même n'avait pas eu d'enfant. C'était une femme pieuse qui se demandait pourquoi elle n'était pas montée directement au ciel après sa mort. Cette confusion l'avait empêchée d'entrer dans la lumière. Par un profond sens du devoir, elle était restée dans cette maison en essayant de faire son travail, c'est-à-dire s'occuper des autres, en l'occurrence les clients de la résidence et Nicole. Cherchant désespérément à attirer l'attention, elle s'était attachée à Nicole, sentant que celle-ci était consciente de sa présence. Grâce à ce lien, les guides l'ont persuadée de suivre Nicole jusqu'à chez moi.

Après nous être assises, Nicole et moi, nous avons parlé pendant quelques minutes avec la vieille dame et nous avons projeté de l'amour vers elle. J'ai ensuite eu l'impression qu'elle acceptait de plier bagage.

— Quelle perte de temps pendant toutes ces années ! m'a-t-elle dit par télépathie. Je suis restée ici, alors que je n'y étais pas obligée. Monter et descendre les escaliers, aller d'une pièce à l'autre, et jamais personne n'a remarqué ma présence. J'essayais d'aider, mais je ne pouvais rien faire. Ils n'ont plus besoin de moi maintenant.

Mes yeux se sont embués de larmes, pendant que je sentais l'émotion qui l'étreignait.

— Pouvez-vous voir la lumière ? lui ai-je demandé.

Elle a répondu par l'affirmative et j'ai senti qu'elle y entrait.

Nicole a murmuré :

— Que Dieu la bénisse !

Elle sentait qu'on lui enlevait un poids sur ses épaules. Quelques jours plus tard, elle m'appelait pour me dire que la résidence et son appartement étaient libérés.

Travailler en solo

J'ai réservé une pièce dans ma maison où je tiens des séances et que j'appelle «mon sanctuaire». L'énergie qui s'est accumulée dans cette pièce au fil des ans facilite la communication. Pour moi, il s'agit d'un endroit où le voile qui sépare les deux mondes est plus mince.

Parfois, quand je m'assois seule dans mon sanctuaire, les guides m'envoient un esprit qui a besoin d'aide. Dans un tel cas, je ne cherche pas à connaître son identité ou son lieu d'origine. Je me concentre pour lui envoyer de l'amour et de la compassion. Parfois, je parle à ces esprits, alors qu'à d'autres moments, les mots sont inutiles. Au bout de quelques minutes, la tristesse et la lourdeur qui les accompagnent s'estompent. Je sens alors un regain d'énergie et de joie qui m'indique qu'ils ont trouvé leur voie.

Plusieurs médiums utilisent cette méthode, dont Lesley Garton. En 1982, Lesley a commencé à faire des

FANTÔMES ET ESPRITS TERRESTRES

sauvetages en participant à des cercles spirituels. Lors de ces séances, elle entrait dans un état de transe lumineuse lui permettant de communiquer avec les esprits et de retransmettre tout ce qu'ils disaient à l'animateur du groupe, qui les encourageait à entrer dans la lumière. C'est ainsi que George, un ancien pilote de la Première Guerre mondiale, avait été libéré. Après sa libération, George avait choisi de rester avec elle, afin qu'ils puissent continuer à travailler ensemble (voir le chapitre 10).

Peu de temps après, Lesley a quitté le cercle pour des raisons familiales tout en continuant à méditer régulièrement et à progresser sur le plan spirituel. Puis, un beau jour, George lui a proposé de recommencer à faire des sauvetages. Lesley m'écrivait :

> Je suis entrée en contact avec les âmes désincarnées de personnes qui étaient décédées subitement et qui s'étaient trouvées coincées entre les deux dimensions. J'insiste d'ailleurs sur la rareté de ce phénomène. Je sens alors un voile de détresse et de douleur. Il leur faut parfois un peu de temps pour faire une transition réussie. Les guides les dirigent vers moi, et il semble qu'en voyant ma substance plus légère, ces âmes se fondent en moi pour revivre leurs derniers moments, ce qui déclenche une libération immédiate vers une lumière plus grande et une dimension supérieure.

Selon Lesley, « ces esprits ont besoin d'un corps pour se libérer ». C'est une affirmation que ma propre expérience en tant que médium m'a permis de confirmer. Ces esprits ont été séparés de leur forme physique si brusquement qu'ils ont besoin de sentir un corps de nouveau. Le processus qu'ils ont traversé ressemble à celui d'un patient psychiatrique qui régresse après un traumatisme et qui doit le revivre en pensée afin de pouvoir s'en défaire. Un sauvetage s'apparente alors à une thérapie qui s'adresse aux esprits !

Revivre un traumatisme

Quand on endosse l'état d'un esprit de cette façon, on parvient généralement à capter une vague impression des sensations qu'il a ressenties à la fin de sa vie. Par exemple, un médium qui entre en contact avec une personne décédée des suites d'une crise cardiaque ressentira une brève sensation de douleur dans sa poitrine. À d'autres moments, le médium devra fouiller plus profondément dans les souvenirs entourant le moment de la mort, ce qui peut s'avérer une expérience douloureuse et pénible.

Le récit suivant a été publié dans *Light*, le journal du College of Psychic Studies (été 1987). Il a été signé par le regretté Eddie Burks, un médium qui a longtemps utilisé cette méthode pour aider les esprits. Burks décrivait ainsi un sauvetage auquel il avait participé :

> Je ressens une douleur derrière la nuque. Il s'agit d'une personne qui a dû ressentir une douleur très intense derrière la tête avant de mourir. C'est une sensation très désagréable. Et atroce ! Je peux mettre le doigt sur l'endroit précis où la douleur irradie. Je suis épuisé. Je pense que c'est un cas de nuque brisée. Cette personne s'était cassé le cou et ne pouvait bouger. Elle a beaucoup souffert pendant son agonie et elle s'accroche encore à cette douleur.
>
> J'éprouve des sentiments de panique et d'impuissance accompagnés d'une douleur aiguë. J'ai l'impression d'être couché face contre terre. Ma tête est dans une position inconfortable, tournée vers la droite et les tendons la tirant vers le bas.

Eddie avait fini par découvrir qu'il s'agissait de l'esprit d'une adolescente décédée quelques années auparavant dans un accident de spéléologie.

> Elle a souffert jusqu'à la fin. Elle est morte avec l'impression que rien ne pouvait la sauver. C'était terrible. L'impuissance et la panique sont une combinaison mortelle qui explique cette douleur que je ressentais. Je devais la prendre sur mes épaules, et Andrew (le guide d'Eddie) savait que j'en étais

capable. C'est pour cette raison qu'il l'avait menée vers moi...

Nous sommes arrivés au moment où nous devions projeter de l'amour et de la lumière vers elle... je débordais d'amour à donner... pas seulement à elle, mais aussi à tous ceux qui avaient essayé de l'aider. Savoir qu'on a réussi procure un sentiment qui ressemble presque à de l'exaltation. Il y a beaucoup de gens autour d'elle maintenant qui travaillent d'arrache-pied. Ils sont si heureux de voir qu'elle est libérée. Quel bonheur! Elle a suscité beaucoup de compassion parmi ceux qui sont venus à son secours... Nous lui envoyons de l'amour. La douleur diminue.

Le choix d'un lieu

Peu importe le lieu choisi pour prier, méditer ou guérir — église, centre psychiatrique, clinique ou sanctuaire privé — la lumière et l'énergie finissent par s'y accumuler. Les sauveteurs puisent dans cette réserve pour aider les esprits terrestres. En général, les personnes qui visitent de tels endroits n'ont pas la moindre idée du travail effectué dans la dimension invisible. Et ils n'ont pas nécessairement à le savoir, non plus.

La présence d'un médium n'est pas toujours indispensable pour libérer un esprit. Dans beaucoup de cas, les guides se contentent de guider l'esprit vers un lieu où il y a une telle accumulation, un peu comme si nous amenions une personne malade ou peturbée dans une église ou un sanctuaire pour qu'elle guérisse spirituellement. Je me demande parfois ce qui peut se passer dans mon propre sanctuaire, quand je quitte la pièce et que je referme la porte ! Il me plaît de penser que mon travail a permis de créer un environnement apaisant pour les esprits troublés.

Les églises spiritualistes peuvent également servir de lieux pour un sauvetage, même si à l'instar des autres grandes églises institutionnelles, elles n'échappent pas à une certaine désaffectation de leurs membres (ceci étant dit, il en reste plusieurs qui sont très fréquentées et en plein essor). Si nous possédions tous la capacité de voir le monde invisible, nous constaterions qu'une église est remplie d'êtres spirituels. S'il s'agit dans la plupart des cas d'esprits qui ont un lien avec les membres de cette congrégation, il y a aussi des esprits qui sont là par simple curiosité.

Il y a enfin des esprits terrestres qui ont été attirés dans ces lieux par la lumière et par la possibilité d'entrer en contact avec une personne capable de comprendre leur triste sort. Malheureusement pour ces pauvres esprits, les membres de la congrégation n'ont pas toujours conscience de leur présence, tandis que les médiums, trop absorbés par leur travail, les ignorent souvent. Cependant, les guides restent à l'œuvre, créant ainsi un environnement où les esprits peuvent être libérés.

Mon cercle spirituel

Pendant longtemps, j'ai animé un cercle. Il ne s'agissait pas d'un cercle spirituel en tant que tel, mais plutôt d'un groupe composé d'une demi-douzaine d'amis intimes, des médiums et des guérisseurs, qui se réunissait chez moi pour méditer et discuter. Nous en profitions aussi pour bavarder autour d'une tasse de thé! Des esprits terrestres pouvaient parfois se manifester pendant ces séances. Il pouvait s'agir d'un parfait inconnu ou d'un esprit lié à un de nos patients ou de nos clients.

Pour un médium, procéder à un sauvetage à l'intérieur d'un cercle permet de bénéficier de l'appui des autres membres du groupe. L'énergie supplémentaire générée par le groupe accélère et facilite le processus de libération. Quand je travaille en groupe, j'utilise la technique décrite par Lesley, qui consiste à entrer dans un état de transe lumineuse et à parler au nom de l'esprit. Je ressens alors les émotions de l'esprit et je les partage avec lui, même si à aucun moment, je ne suis possédée par lui. Je maîtrise pleinement la situation et je peux au besoin rompre le contact.

Pendant que l'esprit s'exprime en mots et en émotions à travers moi, les autres membres du groupe discutent avec lui et cherchent à découvrir ce qui le retient parmi nous. Ils lui enjoignent ensuite de chercher la lumière et de se diriger vers elle afin de remettre son sort entre les mains des guides qui sont là pour l'aider. Ces sauvetages sont souvent très émouvants, et une fois qu'ils sont terminés, je ne suis pas la seule à retenir mes larmes !

Un sauvetage en Exeter

Il existe beaucoup de cercles spirituels, ici et ailleurs dans le monde, composés de bénévoles dévoués qui travaillent dans l'ombre. En plus de se rendre dans les domiciles privés et les lieux hantés, ces cercles organisent régulièrement des séances, habituellement au domicile d'un des membres du groupe, afin d'être prêts à aider les esprits qui leur sont confiés par les guides.

Les esprits sont d'origines diverses. Il peut s'agir d'une personne qui est décédée dans la région où le cercle se réunit. Toutefois, comme la distance est une notion qui n'existe pas dans la dimension spirituelle, ils peuvent provenir de n'importe quelle région du monde. Lorsque se produit un cataclysme naturel comme une inondation ou un tremblement de terre, plusieurs esprits qui ont été projetés dans la dimension spirituelle dans un état de panique ou de détresse sont dirigés vers ces groupes pour être libérés. Il peut également s'agir de victimes de catastrophes humaines comme une guerre ou un attentat terroriste.

Michael Evans vit en Exeter, où il anime un cercle spirituel qui se réunit chez lui. Même si Michael n'est pas un médium, il joue le rôle de secrétaire du groupe et parle aux esprits qui s'expriment à travers les médiums.

Le groupe a commencé ses activités en 1991, à la demande des guides qui souhaitaient procéder au sauvetage des soldats qui tomberaient au combat pendant la guerre du Golfe, qui venait de débuter. Le groupe a accepté, et un jeune pilote de l'armée de l'air américaine s'est alors manifesté. Il a expliqué que son équipage et lui savaient qu'ils étaient morts, car ils avaient vu leurs cadavres dans la carcasse de l'avion. Même s'il n'était plus de ce monde, ce jeune militaire n'avait pas perdu son sens de l'humour :

— Pourrions-nous assister à votre séance ? J'adore comment votre salon est décoré.

Le groupe n'a eu aucune difficulté à expliquer à ces militaires que même s'ils avaient quitté leur corps physique, une vie intéressante les attendait dans l'autre dimension. Ils devaient simplement être prêts mentalement à demander de l'aide et à chercher une lumière qui allait apparaître.

Pendant que la guerre faisait rage, ce cercle s'est occupé des morts des deux côtés de la ligne de front. Il y avait parmi eux des Irakiens qui parlaient notre langue. Ce cercle était le premier contact qu'ils avaient après le choc et le traumatisme de leur mort, et beaucoup étaient confus et intrigués.

Un jour, une voix avec un accent irakien a demandé sur un ton plaintif :

— Où est le paradis ? Je ne le vois pas. Où sont les vierges ? Où sont toutes ces choses magnifiques ?

Il se sentait dupé, parce qu'il ne trouvait pas toutes les choses que sa religion lui avait promises.

À la fin de la guerre, les membres du cercle, qui avaient acquis beaucoup d'expérience dans le sauvetage des esprits à la dérive, ont accepté avec enthousiasme de poursuivre leur travail. Au fil des ans, ils ont aidé des esprits d'origines diverses qui étaient devenus des esprits terrestres pour toutes sortes de raisons. Il y avait parmi eux un membre de la cour de la reine Victoria qui, depuis son décès, avait passé le plus clair de son temps à dormir, convaincu qu'il roupillerait dans son cercueil jusqu'au jour du jugement dernier. Il y avait aussi une jeune fille qui disait avoir froid et être enfermée dans une caisse sombre enfouie dans le sol. En fait, elle était enchaînée à la notion de sommeil éternel dans un cercueil. Quand le groupe est parvenu à lui faire comprendre qu'elle pouvait se libérer de la prison qu'elle avait elle-même érigée autour d'elle, sa joie se reflétait sur le visage du médium qui lui servait d'intermédiaire.

Jack, le non-croyant

Michael avait découvert une méthode efficace pour aider les esprits terrestres ; elle consistait à leur demander s'il y avait une personne chère à leur cœur qu'ils aimeraient revoir. Il avait constaté qu'en demandant à un esprit de se concentrer sur cette personne en particulier, les guides étaient souvent capables de le faire progresser vers la lumière. Un esprit qui ignore tout de la dimension spirituelle sera plus enclin à entrer dans la lumière s'il est en compagnie d'une personne qu'il connaît. Michael a connu beaucoup de succès avec cette méthode, et le cas de Jack en est un exemple typique.

Comme tant d'autres avant lui, Jack était décédé sans avoir la moindre idée de ce qui l'attendait après la mort.

S'exprimant par l'intermédiaire d'un médium, il avait dit sur un ton intrigué :

— Je ne suis pas là où je devrais être. Je devrais être à la maison avec ma femme, mais pour une raison que j'ignore, je n'y suis plus.

— Que vous est-il arrivé ? lui a demandé Michael.

— Je ne sais pas. J'étais chez moi et l'instant d'après, je n'y étais plus.

Puis, sur un ton plus agressif, il avait ajouté :

— Je ne crois pas un traître mot de vos bêtises. Quand on meurt, on s'en va directement dans une boîte, pas vrai ?

— Si vous êtes dans une boîte, comment pouvez-vous nous parler ? a rétorqué Michael. Votre corps physique a été placé dans une boîte, mais votre esprit est ici, avec nous.

— Et pourquoi moi, je n'y suis pas, avec vous ? a lancé Jack sur un ton plaintif. Je n'y comprends rien. Je veux rentrer à la maison !

Michael lui a demandé s'il y avait une personne à qui il aimerait parler. Après avoir réfléchi pendant un moment, Jack a répondu qu'il aimerait parler à sa mère.

— Mais si elle est morte, comment pourrais-je lui parler ?

— Aimeriez-vous revoir votre mère ? a demandé Michael.

— Je ne vois pas comment je pourrais, a répondu Jack en ajoutant, d'un côté, je le sais, mais de l'autre, je ne le sais pas.

Cette remarque laissait entendre qu'intuitivement, il comprenait qu'il était mort.

Cependant, il n'en était pas encore tout à faire convaincu.

— Quelqu'un dans ma famille a déjà consulté une médium, a-t-il expliqué à Michael. J'étais très sceptique. Je croyais qu'elle était un peu folle. Maintenant, je sais qu'elle avait raison.

Peu de temps après, la mère et le père de Jack sont apparus, et Jack les a suivis, en homme transformé.

Mise en garde

J'ai mentionné au début du chapitre que les cercles spirituels ne s'adressaient ni aux amateurs ni aux cœurs sensibles. Écouter un esprit décrire par l'entremise d'un médium les circonstances de sa mort peut s'avérer une expérience pénible. Pour le médium qui aide l'esprit à revivre son agonie, cela peut l'être encore plus.

Il y a également le risque que les membres d'un cercle, par imprudence ou par manque d'expérience, attirent un esprit qu'ils seront incapables de libérer par la suite. Une fois attiré par le cercle, l'esprit ne peut retourner en arrière. Il s'attachera à un des membres ou s'installera dans le lieu où le cercle se réunit. C'est pour cette raison que je déconseille d'organiser un cercle spirituel sans préparation adéquate.

Si votre cercle est déjà formé, il est nécessaire d'adopter une démarche prudente pour entrer en contact avec les esprits terrestres de toutes sortes. Plus une personne est sensible sur le plan psychique, plus elle doit être consciente du besoin de se protéger, ce qui est le sujet du prochain chapitre.

13

La protection psychique

Avant de commencer, j'aimerais revenir sur un élément que j'ai mentionné dans un chapitre antérieur.
Nous avons tous une barrière de défense naturelle qui
nous protège des esprits qui tenteraient de s'imposer
à nous ou de nous nuire d'une quelconque manière.
Il s'agit de l'aura, ou champ énergétique, qui nous
entoure. Plus une personne est fermement ancrée dans
le monde physique, mieux elle peut se défendre. Par
exemple, un individu qui s'intéresse uniquement aux
biens matériels se montrera généralement insensible
au monde spirituel, empêchant ainsi les esprits d'accéder à sa conscience.

À l'inverse, les personnes qui ont une telle sensibilité, de surcroît si elles sont médiums, possèdent une
aura qui les rend plus vulnérables. Ces gens attirent
vers eux non seulement les esprits amicaux comme les
guides, les membres de leur famille ou leurs amis,
mais aussi les esprits terrestres. C'est pourquoi ils

doivent apprendre à ériger un mur de protection solide autour d'eux.

Une ouverture trop grande

Beaucoup de cas présentés dans ce livre montrent comment une personne sensible peut capter les émotions d'un esprit terrestre et ressentir de la peur, de l'anxiété ou de l'angoisse sans savoir que ces émotions ne lui appartiennent pas. Ce phénomène est fréquent chez les personnes dotées d'une capacité psychique mais qui ignorent posséder un tel don et qui ne savent pas comment le contrôler.

Zoé s'était jointe à un de mes groupes d'éveil psychique parce qu'elle voulait comprendre les étranges expériences qu'elle vivait. Presque chaque soir au moment de s'endormir, elle sentait la présence d'esprits terrestres autour d'elle. Elle les entendait même lui parler dans sa tête. Ces esprits lui demandaient de l'aide, mais elle ne savait pas comment faire. Leur présence était si dérangeante qu'elle était incapable de trouver le sommeil.

Après en avoir discuté avec Zoé, il est devenu évident qu'elle possédait un don naturel de médium. Elle a raconté qu'aussi loin qu'elle se souvienne, elle avait vécu des expériences psychiques similaires. Elle avait lu des livres sur les esprits terrestres et elle priait régulièrement pour eux. La sympathie qu'elle éprouvait à l'endroit des esprits terrestres avait attiré un certain nombre d'entre eux vers elle. Ceux-ci essayaient d'entrer en communication avec elle la nuit, car c'était le moment de la journée où sa réceptivité était la plus grande. Cependant, comme elle n'avait pas développé ses talents de médium, elle ne savait pas comment les aborder ou les guider vers la lumière.

J'ai tout d'abord conseillé à Zoé de passer une bonne nuit de sommeil! Pour lui permettre d'y arriver, je lui ai montré comment «fermer» la fenêtre psychique pour ne plus être dérangée par des esprits en manque d'attention. De plus, si elle voulait apprendre à libérer des esprits, elle devrait peaufiner ses dons de médium afin de pouvoir en garder le plein contrôle.

Comment fermer la fenêtre psychique

La fermeture psychique est une technique que devraient maîtriser toutes les personnes dotées d'une sensibilité psychique. Elle permet de mettre en veilleuse cette conscience, afin de rester centré sur la dimension physique. Permettez-moi de vous l'expliquer davantage.

J'ai déjà parlé de l'aura ou du champ énergétique. À l'intérieur de l'aura, on trouve des centres psychiques appelés «chakras» qui relient les dimensions physique et spirituelle de notre corps. Les chakras utilisés pour la communication spirituelle sont le plexus solaire, qui est situé au niveau du nombril, le cœur, la gorge et le troisième œil, qui est situé entre les sourcils.

Quand un médium veut communiquer avec le monde spirituel, son aura prend de l'expansion, et ses chakras s'ouvrent, établissant ainsi un canal pour établir un lien avec l'autre dimension. Habituellement, l'aura et les chakras des médiums et des personnes dotées d'une sensibilité psychique sont ouverts en permanence, ce qui leur permet de capter continuellement des impressions non seulement de la dimension spirituelle, mais aussi de la dimension physique. Les médiums savent cependant comment refermer ce canal, lorsque celui-ci n'est pas utilisé.

Zoé convenait avec moi que cette définition s'appliquait à elle. Dès qu'il y avait une personne malheureuse dans son entourage, elle se sentait malheureuse également. Si quelqu'un tombait malade, elle ressentait, elle aussi, des symptômes physiques. De plus, elle se sentait continuellement fatiguée et sans énergie, autre signe d'une trop grande vulnérabilité.

Heureusement, la fermeture psychique est une technique facile à utiliser. Voici un exercice de visualisation qui permet d'y arriver.

Exercice : La fermeture psychique

♦ Assoyez-vous dans un endroit où vous ne serez pas dérangé. Si vous le désirez, vous pouvez faire jouer une musique douce. Prenez quelques respirations profondes et détendez-vous.

♦ Visualisez une lumière dorée, douce et chaude qui irradie au-dessus de votre tête.

♦ Visualisez cette lumière qui descend jusqu'à votre troisième œil. Imaginez ensuite que ce chakra est une fleur dont les pétales violets se referment doucement.

♦ Visualisez cette lumière qui descend jusqu'à votre gorge. Imaginez ensuite que ce chakra est une fleur dont les pétales bleus se referment.

♦ Attirez la lumière vers votre cœur. Imaginez une fleur aux pétales verts qui se referment doucement.

♦ Attirez ensuite la lumière vers votre plexus solaire, où il y a une fleur aux pétales jaunes qui se referment.

♦ Amenez la lumière jusqu'à la base de votre colonne vertébrale et de là, laissez-la descendre dans vos jambes et vos pieds. Imaginez que vous vous enracinez profondément dans le sol, afin que vous soyez solidement ancré dans la dimension physique.

♦ Finalement, visualisez votre aura comme un ovale d'énergie qui s'étend jusqu'à un mètre à partir de votre corps. Imaginez que votre aura baigne dans la lumière dorée. Sentez-la se contracter légèrement. La lumière vous entoure de la tête aux pieds et forme un bouclier hermétique.

♦ Récitez une prière et envoyez des pensées vers les guides ou les esprits amicaux qui vous entourent, afin d'être mieux protégé. Vous êtes maintenant en sécurité, et rien de négatif ou de nuisible ne peut dorénavant vous atteindre.

À votre premier essai, cet exercice peut prendre un peu de temps, surtout si vous n'êtes pas habitué à la visualisation. Toutefois, avec l'expérience, vous serez capable de le faire en quelques secondes, peu importe le moment ou l'endroit.

Des moyens supplémentaires de protection

Comme dans l'exercice que nous venons de voir, il existe d'autres moyens d'améliorer votre protection.

♦ Affrontez votre peur du surnaturel. La peur étant basée sur l'ignorance, lisez sur le sujet et discutez-en avec des gens compétents en la matière. Vous pouvez visiter une église spiritualiste ou participer à des séances. Vous obtiendrez ainsi l'assurance que la quasi-totalité des esprits que nous côtoyons sont inoffensifs et que dans l'éventualité hautement improbable que vous rencontriez des esprits malfaisants, il existe des moyens de vous protéger.

♦ Si vous commencez à ressentir des émotions négatives comme la dépression ou l'anxiété sans raison apparente, essayez d'en déterminer l'origine. Ces émotions peuvent provenir d'un esprit ou d'une personne bien vivante qui se trouve dans votre entourage.

♦ Si votre intuition vous indique que ces émotions émanent d'une présence spirituelle, vous pouvez essayer de libérer cet esprit vous-même en utilisant la méthode que j'ai décrite précédemment. Toutefois, si vous entretenez des doutes sur votre capacité à y parvenir, ou que vous sentez que vos tentatives ont échoué et que l'esprit est toujours présent, n'hésitez pas à appeler un médium à l'aide.

♦ Faites attention à votre santé. Les personnes sensibles sont généralement moins robustes que les personnes plus terre-à-terre. Adoptez une alimentation équilibrée qui comprend des aliments biologiques, autant que possible. Réservez un maximum de temps au repos et à la détente. Évitez le stress. Si vous vous sentez fatigué, anxieux ou sans entrain, votre aura s'en trouvera affaiblie, et vous serez plus vulnérable aux influences des esprits terrestres. (Les bons esprits ne vous feront aucun mal. Au contraire, ils vous alimenteront en énergie et vous aideront à guérir.)

♦ Évitez les endroits où il y a eu de la souffrance et de la douleur. Un ancien champ de bataille n'est pas l'endroit idéal pour passer des vacances. Si vous devez vous rendre dans de tels endroits, fermez votre fenêtre psychique en utilisant l'exercice que je viens de présenter et maintenez-la ainsi fermée pendant toute la durée de votre séjour.

N'oubliez pas qu'en faisant preuve de vigilance et en prenant les précautions adéquates que je viens d'énumérer, vous n'aurez jamais rien à craindre du monde spirituel. Considérez votre sensibilité comme un don et un moyen d'entrer en contact avec des êtres sages et amicaux qui vous aideront, vous guideront et vous protégeront tout au long de votre vie.

«Voilà que ça recommence!»

Certaines personnes qui possèdent un don psychique naturel constatent que l'activité psychique les suit partout où elles vont. Tony était un jeune homme dans la vingtaine affable et bien équilibré qui venait d'emménager dans sa nouvelle maison avec sa petite amie. Rapidement, le couple avait commencé à remarquer des choses étranges. De menus objets disparaissaient, puis réapparaissaient dans des endroits inhabituels. Après quelques disputes menées à coups de phrases comme «Où as-tu mis mes clés?», «Ce n'est pas moi, je ne les ai pas touchées», Tony en était arrivé à la conclusion que des forces surnaturelles étaient à l'œuvre.

Ce n'était pas la première fois qu'il était témoin de tels phénomènes. Des incidents similaires s'étaient produits à son domicile précédent. «Voilà que ça recommence!», s'était-il plaint à sa copine. Le couple m'avait alors appelée.

Une fois arrivée dans cette maison, j'étais en train de discuter avec Tony lorsque j'ai aperçu par clair-voyance un jeune homme qui avait perdu la vie lors d'un accident de motocyclette. Tony a reconnu un de ses amis décédé quelques années auparavant. Il m'a demandé s'il s'agissait du même «fantôme» qui avait hanté sa maison précédente et qui le suivait partout depuis.

J'ai dit à Tony que c'était peu probable. Je lui ai expliqué qu'il avait la chance, ou peut-être la mal-chance, d'être une personne douée d'une grande énergie psychique. Peu importe l'endroit où il se trou-vait, il était toujours susceptible d'attirer l'attention des esprits terrestres. Il pouvait s'agir d'esprits qui se trou-vaient déjà à cet endroit ou qui passaient dans les parages. Pour ces esprits, Tony apparaissait tel un phare. Dès qu'ils découvraient qu'il ne pouvait les voir, ils manifestaient leur déception en utilisant son énergie pour attirer son attention.

Après avoir aidé cet esprit, Tony m'a demandé s'il y avait autre chose qu'il pouvait faire pour l'empêcher de se manifester de nouveau. Je lui ai enseigné à se fermer psychiquement, afin qu'il cesse d'émettre un signal aussi puissant. Il éviterait ainsi de «mettre en circulation» une énergie susceptible d'attirer un esprit. Une fois qu'il aurait maîtrisé cette technique, il pourrait envisager d'utiliser d'autres formes de guérison comme le reiki.

Si, comme Tony, vous débordez d'énergie, il ne sert à rien de ne pas en tenir compte ou de prétendre qu'elle n'existe pas. La guérison est un excellent moyen de la mettre à contribution et de la canaliser de manière constructive. C'est aussi une merveilleuse façon d'aider les autres.

La protection psychique au travail

Au chapitre 6, j'ai décrit une méthode qui permet de nettoyer une maison où une énergie négative a été détectée. Qu'arrive-t-il si cette énergie négative, ou même un esprit terrestre, se manifeste dans votre milieu de travail?

Il y plusieurs années, j'occupais un poste de secrétaire pour le compte d'une entreprise londonienne située dans le quartier de Smithfield. L'édifice où je travaillais ne me plaisait guère, et l'ambiance au travail était mauvaise. Les surveillants de nuit m'avaient même raconté avoir entendu des bruits effrayants. Après avoir appris que des hérétiques avaient péri sur un bûcher à ce même endroit au Moyen Âge, j'ai compris pourquoi ces vibrations étaient désagréables.

Mes clients me disent souvent sentir, dans leur milieu de travail, une présence qui les met mal à l'aise. À moins d'avoir un patron ou des collègues de travail compréhensifs, vous ne pourrez guère vous promener parmi eux en brûlant de l'encens et en faisant résonner des cloches. Dans un tel cas, la prière et la visualisation sont vos seuls recours pour libérer en prière et en pensée tout esprit qui pourrait être emprisonné dans votre lieu de travail. Une prière sincère permet souvent d'atteindre un esprit qui souffre et lui transmettre la lumière qui pourra le libérer.

La protection des enfants

Il existe beaucoup de médiums parmi les enfants. Ceux-ci ont conscience des esprits qui se trouvent autour d'eux et acceptent leur présence comme quelque chose de naturel, un peu comme moi-même, je l'ai fait étant enfant. Les enfants ont parfois des «compagnons de jeu imaginaires» qui sont en fait des esprits d'enfants. Si votre enfant possède ce type de sensibilité, encouragez-le à raconter ses expériences sur le plan psychique. Prenez ces expériences au sérieux. En aucun cas, il ne faut se moquer de lui ou lui dire qu'il imagine des choses. Un enfant peut facilement se sentir ridiculisé et froissé par vos propos, et il hésitera à se confier à vous par la suite.

Il est également facile de lui transmettre votre peur du surnaturel et de le rendre craintif à son tour. Essayez de lui inculquer l'idée qu'il possède une habileté tout à fait normale, quoiqu'un peu inhabituelle. Conseillez-lui de faire preuve de prudence quand il parle de ses expériences à d'autres enfants ou à des étrangers qui risquent de ne pas le comprendre. Enseignez-lui la valeur de ce don et dites-lui qu'il lui sera utile tout au long de sa vie.

Si votre enfant affirme sentir une présence dans la maison ou voir un fantôme, écoutez attentivement. Les enfants sont souvent les premiers à observer ce genre de phénomène. Dans la plupart des cas, ils savent aussi d'instinct si l'esprit est amical ou non. Moi-même, quand j'étais enfant, je savais qu'il existait différents types d'esprits et j'aurais aimé avoir quelqu'un à qui en parler.

Les enfants sont généralement plus ouverts sur le plan psychique que les adultes, et il faut parfois les aider à se fermer psychiquement. Si votre enfant est suffisamment âgé, vous pouvez lui expliquer comment procéder et le faire avec lui. S'il est trop jeune pour comprendre le concept ou que vous craignez de l'effrayer, vous pouvez le faire pour lui.

Exercice : La fermeture psychique chez les enfants

♦ Gardez une image de votre enfant dans votre esprit (vous pouvez vous tenir debout à côté de son lit pendant qu'il dort).

♦ Visualisez une lumière dorée au-dessus de la tête de l'enfant. Imaginez cette lumière qui descend vers chacun de ses chakras. (Consultez les consignes de l'exercice présenté précédemment dans ce chapitre.)

♦ Finalement, visualisez l'aura de votre enfant qui s'étend jusqu'à un mètre autour de son corps. Imaginez ensuite que l'aura est remplie de lumière dorée et que celle-ci l'enveloppe comme une cape. Demandez aux esprits amicaux, aux guides et aux anges de lumière de protéger votre enfant.

Les guérisseurs et les thérapeutes

Les personnes dotées d'une sensibilité psychique choisissent souvent des professions dans le domaine de la santé : médecin, guérisseur ou thérapeute. Les guérisseurs sont particulièrement vulnérables aux intrusions commises par les esprits terrestres. Quand un guérisseur traite un client, leurs auras se mélangent et s'amalgament. Si un esprit terrestre accompagne ce client, il peut être transféré au guérisseur. Même des guérisseurs chevronnés se font prendre de cette façon.

Jeanne était une guérisseuse expérimentée qui travaillait dans une clinique de Londres. Quand elle est venue me consulter, elle avait mauvaise mine et avait besoin d'aide. «Je ne sais pas ce qui cloche, se plaignait-elle. J'ai l'impression de ne plus être moi-même.»

Depuis quelques semaines, elle souffrait d'insomnie, même si elle se sentait épuisée. De plus, elle ressentait de l'anxiété et de la culpabilité. Elle avait consulté quelques collègues guérisseurs, mais sans succès. Elle se demandait même si elle pourrait un jour reprendre le travail.

J'ai capté la présence d'un homme qui s'était pendu. Jeanne a confirmé cette première impression en me disant qu'elle avait souvent la sensation d'étouffer sans cause physique apparente. Cet homme était rongé par la culpabilité. Après être entré en contact avec Jeanne, il l'avait suivie de la clinique jusqu'à chez elle et ne l'avait pas lâchée d'une semelle depuis.

C'est avec soulagement que Jeanne a appris la cause de son problème. Nous avons travaillé ensemble pour libérer l'homme, qui a été pris en charge avec délicatesse par les guides. Toutefois, Jeanne était si épuisée qu'elle a dû se fermer complètement et prendre un congé pour retrouver son équilibre et son énergie.

Il s'agit bien sûr d'un cas extrême, mais les guérisseurs et les thérapeutes doivent être conscients de leur vulnérabilité. Même les professionnels comme les physiothérapeutes, les masseurs ou même les coiffeurs, qui sont en contact physique avec leurs clients ou qui entretiennent un lien émotionnel comme dans le cas des conseillers, doivent prendre des mesures de protection.

La protection pour les guérisseurs et les thérapeutes

Si votre travail vous amène à être en contact avec le public dans un contexte thérapeutique, il y a un certain nombre de précautions que vous pouvez prendre. Ces mesures vous protégeront non seulement des esprits terrestres, mais également de la négativité qui pourrait émaner de vos clients.

♦ Avant de commencer votre journée de travail, dites une prière et demandez à Dieu, aux forces angéliques ou à vos propres guides spirituels de vous donner force et protection. Visualisez votre aura et votre lieu de travail, et imaginez-les remplis de lumière.

♦ Fermez-vous psychiquement à la fin de chaque consultation. Gardez vos distances par rapport à votre client, que ce soit physiquement ou mentalement, et visualisez une barrière entre votre aura et la sienne, afin de briser le lien qui vous unit à lui.

♦ Faites attention à votre alimentation et à votre santé. Prenez régulièrement des pauses ou des vacances et ne travaillez pas jusqu'à l'épuisement.

♦ Adoptez un mode de vie équilibré. Adonnez-vous à des activités plus physiques, moins liées au domaine psychique. Gardez un contact avec la nature en faisant des promenades en campagne, en jardinant ou en allant à la mer. Vous garderez ainsi les deux pieds bien sur terre.

Travailler chez soi

Beaucoup de thérapeutes et de guérisseurs travaillent à domicile, où ils ont aménagé un bureau. Pour ma part, j'ai un sanctuaire (c'est le nom que j'utilise) où j'organise des séances. Au début et à la fin de chaque journée, je procède à un nettoyage psychique de cette pièce. Après le départ des participants, je m'assure qu'ils ne laissent aucun esprit terrestre derrière eux ! Un esprit qui vient de la lumière ne se manifestera pas sans y avoir été invité, alors que les esprits terrestres peuvent traîner, comme dans le cas du père de Margaret, qui refusait de partir.

Pour nettoyer un bureau ou une salle d'examen, il suffit de visualiser la pièce remplie de lumière blanche. Vous pouvez également utiliser un cristal, par exemple une améthyste, qui absorbe l'énergie négative. Nettoyez ensuite le cristal avec de l'eau. Pour en savoir davantage sur le sujet, consultez les nombreux livres consacrés aux cristaux et à leur utilisation.

Nettoyez non seulement votre lieu de travail, mais aussi toute votre maison, de peur qu'un visiteur indésirable s'y soit glissé pour faire un peu d'exploration! Je vous conseille d'utiliser de temps à autre le rituel de nettoyage d'une maison présenté au chapitre 6.

La protection ultime

La protection psychique, tout comme la protection physique, est d'abord et avant tout une affaire de bon sens. Nous savons tous qu'il y a des meurtriers, des agresseurs et d'autres criminels violents en liberté dans notre société, mais nous ne restons pas pour autant confinés dans nos maisons, refusant d'en sortir par peur d'être agressés. Ceci étant dit, cela ne nous empêche pas d'éviter les endroits dangereux et de prendre des mesures pour nous assurer que nos maisons sont sécuritaires.

Les mêmes principes s'appliquent à la protection psychique. N'ouvrez pas la porte aux esprits terrestres en utilisant des planches Ouija ou en abusant de l'alcool et des drogues. Ne nourrissez pas des sentiments de haine ou de malice envers autrui, car des pensées négatives attirent des esprits négatifs. Ne jetez pas de sortilège ou de mauvais sort à quiconque et ne cherchez pas à nuire d'une quelconque manière à personne. Sinon, vous attirerez à coup sûr des esprits maléfiques et au bout du compte, cela se retournera contre vous.

Essayez d'adopter un état d'esprit positif et enthousiaste en traitant les autres avec amour et respect. Misez sur vos qualités spirituelles en utilisant la prière et la méditation. Cherchez la lumière à l'intérieur de vous-même. L'amour, la bonté et la sincérité sont vos meilleurs gages de protection. Quand vous envoyez de l'amour, vous faites des esprits amicaux vos alliés. Ceux-ci vous guideront et vous protégeront. En agissant de la sorte, vous n'aurez jamais rien à craindre.

Pour conclure ce livre, j'aimerais donner quelques conseils à ceux qui aimeraient libérer des esprits et leur montrer comment il faut s'y prendre.

14

Comment libérer des esprits

Si vous croyez pouvoir libérer des esprits, voici comment procéder. Il faut d'abord que vous possédiez des aptitudes psychiques, ce qui est une évidence. Vous devrez ensuite recevoir une formation et acquérir de l'expérience. Dernier point très important, vous devez être une personne forte sur le plan spirituel et capable d'établir un lien positif avec vos guides.

Être un médium

On naît médium, on ne le devient pas. On ne se lève pas un beau matin en se disant qu'on aimerait être médium. Ce n'est pas comme apprendre à jouer du piano ou maîtriser une deuxième langue. Par ailleurs, ce don est plus fréquent qu'on ne le pense généralement. Si vous avez déjà senti la présence d'un esprit, entendu une voix avec vos oreilles ou dans votre tête, ou aperçu un esprit, vous possédez un potentiel psychique. Dans quelle mesure pouvez-vous le mettre en valeur ? Cela dépendra de votre talent et des efforts que vous serez prêt à consentir pour le faire fructifier.

Pour explorer votre potentiel, je vous suggère d'abord d'adhérer à une Église spiritualiste afin d'avoir une vue d'ensemble du travail de médium. Lisez le plus possible sur le sujet pour découvrir comment les esprits communiquent avec nous. J'ai examiné en profondeur le sujet dans mon livre *Contacting the Spirit World*. Vous devez ensuite rallier un cercle spirituel. Beaucoup d'Églises organisent de tels cercles, que ce soit à l'intérieur même des murs de l'église ou au domicile du médium.

S'exercer à être un médium consiste principalement à méditer et à apprendre à être en accord avec son être intérieur. Il n'y a pas de raccourcis. Certains médiums restent dans les cercles quelques mois, d'autres, quelques années. Il faut de l'effort, de la persévérance, de la patience et une pratique continuelle. Quand vous vous sentirez prêt à mettre votre don au service des autres, vous serez probablement invité à participer à des séances dans des églises. Vous pourrez également organiser des séances privées à votre domicile.

Commencer à libérer des esprits

Une fois que vous maîtriserez suffisamment vos aptitudes psychiques, vous pourrez alors décider si vous souhaitez réellement libérer des esprits. En fait, vous n'aurez probablement pas à prendre une telle décision. Pour ma part, je n'ai pas choisi de faire ce travail. J'y ai été entraînée, et c'est à ce moment que j'ai découvert que j'avais cette vocation. J'ai parlé à plusieurs médiums qui libèrent des esprits, et tous m'ont dit avoir vécu la même expérience. Si vos guides jugent que vous êtes apte à accomplir cette tâche particulière, ils vous montreront le chemin. Vous aurez toutefois besoin d'un peu d'entraînement.

Malheureusement, cette tâche n'est pas aisée. Peu de cercles spirituels enseignent cette technique, qui est considérée comme une spécialisation. La meilleure voie à suivre consiste à trouver un médium qui fait ce travail. Celui-ci vous prendra sous son aile et vous permettra de l'accompagner, jusqu'à ce que vous ayez acquis l'expérience nécessaire.

La Spirit Release Foundation

Il existe une organisation qui propose ce type de formation : La Spirit Release Foundation. Elle a été créée par un psychiatre de renom, le Dr Alan Sanderson. Alan était conscient que les problèmes auxquels se butaient ses patients s'expliquaient en partie, ou à tout le moins étaient aggravés, par des esprits terrestres qui s'étaient liés à eux. Une fois ces esprits libérés, les patients recouvraient la santé. Alan m'a dit :

— Quand j'ai appris à identifier les esprits qui se liaient à mes patients, j'ai ouvert une nouvelle voie sur le chemin de la connaissance. Quel bonheur de pouvoir remplacer des traitements qui soulagent uniquement les symptômes par une méthode naturelle et sans danger qui s'attaque directement à la racine du problème ! Savoir que la dimension spirituelle exerce, pour le meilleur et pour le pire, une influence déterminante sur notre vie quotidienne était une découverte d'une telle importance qu'elle devait être partagée.

En 1999, avec un petit groupe de collègues qui comprenait des psychiatres et des médiums, il a mis sur pied une fondation dont l'objectif était de rassembler tous ceux et celles qui s'intéressaient à la libération des esprits. Aujourd'hui, le nombre de membres est en constante progression, autant en Grande-Bretagne qu'à l'étranger.

La formation est une des principales activités de la fondation. Elle propose une variété de cours de niveaux débutant à expert qui couvre tous les aspects du sujet. Ces cours s'adressent non seulement aux médiums, mais également aux thérapeutes et à tous les professionnels qui travaillent dans le domaine de la guérison et de la santé mentale. Ces cours, qui exigent un engagement soutenu quant à l'étude et au temps consacré, sont un formidable point de départ pour tous ceux et celles qui souhaitent réellement entreprendre une telle carrière. Ils permettent également aux étudiants de bien mesurer l'étendue et la complexité du sujet et de mieux comprendre l'importance du service rendu.

La trousse de sauvetage de Michael Evans

Michael Evans, qui anime le cercle spirituel d'Exeter dont j'ai déjà parlé, a créé une trousse très utile pour mener des sauvetages. Elle comprend un manuel qui décrit différentes techniques de sauvetage éprouvées, accompagné de deux enregistrements de 90 minutes qui présentent de réels sauvetages. Cette trousse contient beaucoup d'informations utiles et donne un bon aperçu du travail à accomplir pour effectuer un sauvetage.

La préparation

Libérer un esprit est une tâche exigeante. Avant de commencer, il est essentiel de bien se préparer. Voici quelques conseils en ce sens.

◆ Soyez bien informé. Étudiez le sujet en profondeur. Plus vous en savez sur les esprits terrestres, plus vous serez en mesure de les aider. En outre, si vous comprenez mieux ce que peut ressentir un esprit qui se trouve dans cet état, il vous sera plus facile d'entrer en contact avec lui avec empathie et compassion.

◆ Cultivez votre attitude mentale et votre spiritualité. Vous obtiendrez ainsi la capacité, la force et la sagesse nécessaires pour accomplir cette tâche. C'est votre meilleure protection contre les forces maléfiques.

◆ Apprenez à connaître vos guides. Les guérisseurs, les thérapeutes et les médiums ont tous des guides. Quand vous méditez (un exercice que vous devriez essayer de faire régulièrement), invitez les guides à se manifester. Apprenez à les reconnaître. Cette reconnaissance peut prendre la forme d'un nom, d'une sensation ou d'une « simple impression » qu'ils sont présents. Vous devrez établir un lien solide avec eux ; une fois ce lien établi, vous saurez implicitement que vous pouvez leur faire confiance. Certes, vous avez un rôle à jouer, mais ce sont les guides qui font le travail. Assumez votre fonction avec intégrité et au meilleur de vos connaissances, et laissez-leur faire le reste.

L'importance de la prière

Ne sous-estimez pas la prière. Prier régulièrement vous relie à la source suprême d'amour, de sagesse et d'énergie. Pour les chrétiens, le Christ est la source de leur force, et beaucoup de non-chrétiens Le respectent comme un prophète vénéré dont l'influence se fait toujours sentir aujourd'hui. Conformément à vos propres croyances, vous pouvez Lui adresser vos prières ou les adresser à tout autre maître spirituel.

Vous pouvez également invoquer les anges. Les anges sont des êtres de lumière qui appartiennent à une dimension tellement supérieure qu'il nous est impossible de l'imaginer et qui, malgré tout, acceptent de venir dans notre monde pour nous aider. Ils sont toujours disponibles lorsque nous faisons appel à eux, et leurs intentions sont sincères et pures.

Chaque fois que j'effectue un sauvetage, j'invoque à la fois l'esprit du Christ et les anges, en plus d'invoquer mes guides. S'il y a une perturbation dans la maison où je me trouve, je leur demande de me donner de la force et de me guider. Une fois l'esprit libéré, je bénis la maison en recourant à la prière suivante :

Que le Christ et les anges de lumière bénissent cette maison. Qu'ils la comblent d'amour et de force. Que chaque être qui l'habite, visible ou invisible, soit béni et protégé. Que chaque esprit qui a besoin d'aide soit guidé vers la guérison. Que la lumière et la paix règnent et que Dieu nous bénisse tous.

Je récite une prière similaire pour les séances de libération d'un esprit terrestre.

Que le Christ et les saints anges de lumière bénissent cet enfant de Dieu. Que (nom du participant) soit comblé d'amour, de lumière et de guérison. Que cette personne

soit saine et sauve. Que le Christ et les anges de lumière
bénissent cet esprit qui vient d'être libéré (nom de l'es-
prit, si je le connais). Que cet esprit entre dans la lumière
et qu'il reçoive la paix et la guérison.

Quand la libération échoue

Il n'y a pas de garantie de succès, lorsqu'on essaie de
libérer un esprit terrestre. Comme les autres médiums,
j'ai eu ma part d'échecs. Plusieurs raisons l'expliquent.
Parfois, un esprit est si déterminé à rester à l'endroit
où il se trouve qu'il refuse carrément de bouger. Il le
fait à son propre détriment, car il bloque ainsi sa progression. S'il ne fait rien de mal, les guides ne lui force-
ront pas la main, même s'ils l'encourageront à partir
dès qu'il manifestera la moindre volonté en ce sens, ce
qui peut parfois prendre du temps.

L'échec d'une libération s'explique le plus souvent
par le refus de faire le deuil d'un être cher, par exemple
un proche. Parfois, la personne endeuillée refuse d'admettre qu'elle gêne la progression du défunt, car pour
elle, lâcher prise est l'équivalent de perdre le contact,
ce qui n'est pas le cas. La personne endeuillée peut
être si obnubilée par sa peine qu'elle refuse de voir la
réalité en face.

À l'inverse, il existe également des situations où un
client peut trouver l'idée de côtoyer un esprit amu-
sante et excitante. Même si le client affirme vouloir
libérer l'esprit, il le retient en pensant sans cesse à lui.

J'ai connu un cas où un veuf âgé qui vivait seul avait appelé un médium parce que, prétendait-il, un « esprit malfaisant » hantait sa maison et cherchait à l'effrayer. Le médium s'était précipité chez lui pour constater que ce n'était nullement le cas. Ce veuf trouvait même l'expérience agréable. Le médium avait néanmoins libéré l'esprit, qui n'avait rien de malfaisant. Or, au bout d'une semaine, l'homme avait rappelé le médium en affirmant qu'il y avait un autre esprit dans sa maison.

Le médium est revenu et a libéré le deuxième esprit. La semaine suivante, l'homme appelait de nouveau.

Le médium a fini par comprendre que cet homme était doté d'une grande sensibilité psychique. Il était également très seul et aimait l'attention dont il était l'objet. Chaque fois que le médium libérait un esprit, il appelait un remplaçant.

Tout comme un guérisseur ne peut guérir tous les patients qui viennent le consulter, un médium ne peut aider tous ses clients ou libérer chaque esprit qui croise sa route. Il ne faut pas se blâmer outre mesure pour ces échecs, car il peut y avoir des facteurs en jeu qui échappent à notre volonté. Il arrive parfois que vous amorciez un processus de libération qui ne trouvera son aboutissement que plus tard, lorsque le moment sera venu. Ce qui est important, c'est de faire de son mieux.

Les cas les plus difficiles sont ceux qui impliquent des clients souffrant d'une forme sévère de maladie mentale ou de dépression. N'essayez sous aucun prétexte de traiter vous-même ces cas sans avoir les qualifications médicales ou psychiatriques requises. Si vous constatez qu'il y a un esprit terrestre lié à ce client, libérez-le, puis dirigez le client chez un médecin ou un professionnel de la santé compétent.

La protection pour les médiums

Tout ce que j'ai écrit dans le chapitre précédent sur la protection des personnes sensibles sur le plan psychique, des guérisseurs et des thérapeutes s'applique aux médiums avec en prime quelques consignes supplémentaires.

♦ Ne vous tuez pas à la tâche. Prenez le temps de vous reposer, adoptez un mode de vie équilibré et prenez soin de votre santé.

♦ Il est conseillé d'avoir recours au reiki ou à la guérison spirituelle sur une base régulière et de prendre l'habitude d'utiliser les techniques d'autoguérison, préférablement chaque jour.

♦ Plus important encore, apprenez à vous fermer psychiquement en dehors des heures de travail. Sinon, vous vous sentirez rapidement fatigué et sans énergie.

♦ Si vous êtes appelé à vous rendre dans une maison hantée, préparez-vous mentalement en vous protégeant avec une cape de protection. Assurez-vous d'avoir libéré tous les esprits terrestres avant de partir, afin d'éviter d'en ramener un chez vous !

♦ Quand vous utilisez une pièce de votre maison, nettoyez-la, avant de commencer à travailler et une fois que vous avez terminé.

♦ Assurez-vous d'avoir un autre médium, ou peut-être un petit groupe de personnes, que vous pouvez appeler chaque fois que vous avez besoin d'aide. Si vous hésitez à entrer dans une maison, appelez des renforts !

♦ Comme je viens de le mentionner, la prière est la meilleure des protections. Si vous travaillez avec amour et sincérité, vos guides vous protégeront et ne vous laisseront pas tomber.

Le besoin en médiums compétents

Certains médiums se consacrent exclusivement à libérer des esprits. Il y en a d'autres qui, comme moi, le font lorsque c'est nécessaire tout en concentrant l'essentiel de leur pratique dans les démonstrations publiques de clairvoyance et les séances privées.

Je connais un certain nombre de médiums qui refusent de procéder à des libérations. Étrangement, ces médiums estiment ne pas être assez compétents ou craignent d'avoir à affronter des forces qui les dépassent. Par ma part, je pense que tous les médiums devraient posséder une connaissance du sujet. Il est inutile de prétendre que les esprits terrestres n'existent pas. Tôt ou tard, chaque médium finit par en rencontrer un.

Les médiums inexpérimentés et les néophytes qui ne possèdent pas les aptitudes nécessaires pour libérer des esprits peuvent cependant causer un tort considérable. Non seulement ils ne parviennent pas à résoudre le problème, mais ils empirent les choses en se fiant à des notions erronées ou en semant la peur plutôt qu'en apportant un réconfort. Un jour, une cliente est venue me voir en état de choc : quelqu'un qui prétendait être capable de libérer des esprits avait affirmé qu'il y avait 61 entités ténébreuses qui rôdaient autour d'elle. Je ne savais pas comment il était arrivé à un tel nombre. Comme cette femme était déjà instable sur le plan mental, cette affirmation n'améliorait en rien la situation. Une autre cliente m'a raconté qu'un prétendu médium avait détecté la présence d'extra-terrestres dans son grenier !

Il y a une pénurie de personnes capables de libérer des esprits et malheureusement, dans ce domaine comme dans beaucoup d'autres, il existe des charlatans prêts à profiter de la naïveté de certaines personnes. Il n'y aura jamais assez de médiums qualifiés. Les besoins sont grands, non seulement pour aider les esprits terrestres, mais aussi pour soutenir les personnes aux prises avec des problèmes causés par les esprits terrestres.

Il est aussi crucial que les médiums, ainsi que tous ceux qui savent que l'au-delà existe, unissent leurs forces pour répandre la bonne nouvelle. Une des principales raisons qui expliquent pourquoi un esprit reste prisonnier de la dimension matérielle consiste dans son ignorance de la dimension spirituelle. Plus la vie après la mort sera comprise, plus les gens seront préparés le moment venu à faire la transition et moins ils risqueront de devenir des esprits terrestres.

Mon souhait

Un des aspects les plus gratifiants du travail de sauvetage est de recevoir à l'occasion un « merci » des esprits libérés. Ces esprits peuvent à leur tour se joindre à des groupes de sauveteurs pour aider à libérer d'autres esprits terrestres. Chaque esprit qui entre dans la lumière représente une victoire pour les sauveteurs. Et chaque médium qui, aidé par ses guides, participe à des sauvetages augmente les forces de lumière et dissipe les ténèbres.

Nous entrons dans un nouvel âge des lumières. Mon souhait le plus cher est qu'aucune âme ne soit laissée pour compte. Puissions-nous trouver le chemin vers cette terre merveilleuse qui est la vraie maison de l'âme. Ma prière s'adresse à tous ceux qui veulent aider les esprits terrestres. Qu'ils aient le courage et la sagesse de bien faire leur travail. Mes remerciements s'adressent également aux guides, aux sauveteurs et aux saints anges pour la grâce qu'ils nous font de nous prodiguer amour et force.

Pour ma part, libérer des esprits a été une immense source de bonheur et de satisfaction. Je me sens privilégiée d'en être l'instrument et je remercie mes guides de me permettre de poursuivre ma mission.

J'espère que ce livre vous a permis de mieux comprendre le sort des esprits terrestres et la façon de les libérer. Certains de mes propos peuvent avoir choqué ceux qui croyaient que le monde spirituel n'était que bonheur et paix. Nous ne pouvons prétendre que les ténèbres et le mal n'existent pas. Nous pouvons seulement essayer de le comprendre et de traiter chaque âme avec amour en espérant que chacune, même la plus sombre, trouvera un jour la lumière au fond d'elle.

Si nous pouvons, moi et tous les autres médiums, jouer ne serait-ce qu'un rôle infime pour aider les âmes perdues et leur apporter la lumière même dans les recoins les plus sombres de ce monde, nous pourrons dire : mission accomplie.

Ressources

Grande-Bretagne
Spiritualists' National Union
Redwoods
Stansted Hall
Stansted Mountfitchet
Essex CM24 8UD
Tél. 0845 4580 768
www.snu.org.uk

College of Psychic Studies
16 Queensberry Place
London SW7 2EB
Tél. 020 7589 3292
www.collegeofpsychicstu-
dies.co.uk
Conférences, cours, séances,
guérison et bibliothèque

Psychic News
The Coach House
Stansted Hall
Stansted Mountfitchet
Essex CM24 8UD
www.psychicnewsbooks-
hop.co.uk
Publication spiritualiste

Psychic World
PO Box 14
Greenford
Middlesex UB6 OUF
Mensuel spiritualiste

Spirit Release Foundation
The Administrator
Myrtles
Como Road
Malvern
Worcs WR14 2TH
Tél. 07789 682420
www.spiritrelease.com
Information sur la libération
des esprits, cours et rencontres,
listes de mediums.

Michael Evans
59 The Maltings
Church Street
Exeter EX2 5EJ
www.spiritstalking.info
Trousse de sauvetage (voir le
chapitre 14)
10 £ port et manutention
inclus

Feng Shui Society
123 Mashiters Walk
Romford, Essex RM1 4BU
Tél. 020 7050 289 200
www.Fengshuisociety.
org,uk

Zoence Academy
Roses Farmhouse
Epwell Road
Upper Wysoe
Warwicks CV35 OTN
Tél. 01295 688185
www.zoence.co.uk
*Problèmes à la maison et envi-
ronnementaux, sauvetage*

www.spiritrescue.co.uk
*Un excellent site Web sur le
sauvetage des esprits*

Two Words
A3 Riverside
Metropolitan Wharf
Wapping Wall
London E1W 3SS
Tél. 0207 481 4332
www.users.globalnet.co.uk
Mensuel spiritualiste

États-Unis
**National Spiritualists
Association of Churches**
PO Box 217, Lily Dale
NY 14752
Tél. 716-595-2000
www.nsac.org

**International Ghost Hun-
ters Society**
848 N. Rainbow Blvd
592
Las Vegas
NEV. 89107
www.ghostweb.com
*Dave Oester & Sharon Gill.
Plus gros site Web sur la
chasse aux fantômes aux*
États-Unis.

**American Feng Shui
Institute**
111 North Atlantic Blvd
Suite 532
Monterez Park
California CA 01754
Tél. 626 571 2757
www.amfengshui.com

Canada
International Spiritualist Alliance
1A – 320 Columbia Street
New Westminster
C.-B. V3L 1A6
Tél. 604 521 6336
www.isacanada.ca

Feng Shui Association of Canada
4841 rue Yonge
Shepherd Center
PO Box 43236
North York
Ontario M2N 6N1
www.fengshuiassociation-
ofcanada.ca

Australie
Aspects
PO Box 5171
Clayton
Victoria 3168
http://home.vicnet.net.
au/~johnf/welcome.htm
*Un groupe nouvel âge
dirigé par John Fitzsimons.
Information, cours sur le
travail de médium, libération
d'esprits, etc.*

American Spiritualist Association
PO Box 273
Pennth
NSW 2751, Australie
Tél. 1 300 880 675
www.spiritualistasn.au

Bibliographie
et lectures suggérées

BURKS, Eddie, et Gillian Cribbs. *Ghosthunter*, Headline, 1995.

CROOKALL, Rober. *What Happens When You Die*, Colin Smythe, 1978.

DENNING, Hazel. *True Hauntings*, Llewellyn, 2003.

DOWDING, Air chief Marshal Lord. *Lychgate*, Rider, 1945.

EVANS, Michael. *Dead Rescue*, Con-Psy Publications, 2007.

Disponible auprès de Michael Evans, 59 The Malings, Church Street, Exeter, EX2 5EJ.

FURLONG, David. *Working With Earth Energies*, Piatkus, 2003.

GREAVES, Helen. *The Wheel of Eternity*, C.W. Daniel Co., 1976.

GILBERT, Alice. *Philip in Two Worlds*, Psychic Book Club, 1948.

HALL, Judy. *The Crystal User's Handbook*, Goldfield, 2003.

HAMILTON-PARKER, Craig. *What To Do When You Are Dead*. Sterling Publishing, 2001.

HEATHCOTE-JAMES, Emma. *After-Dead Communication*, Metro Publishing, 2004.

HOLZER, Hans. *Ghost Hunter*, Bobbs-Merrill Co. Inc., 1963.

KINGSTON, Karen. *Creating Sacred Space With Feng Shui*, Piatkus, 1996.

LAWRIE, Archibald A. *The Psychic Investigator Casebook Vol. 1*, 1st Books Library, 2003. *Vol. 2*, 2005. *Vol. 3*, 2007. Disponibles auprès de A.A. Lawrie, 5 Church Wynd, Kingskettle, by Cupar, Fife, Écosse, KY157PS, G.-B. 14 £ par volume incluant port et manutention. Outremer 32 $ par volume incluant port et manutention.

LINN, Denise. *Sacred Space*, Rider, 1995.

MERCADO, Elaine. *Grave's End*, Llewellyn, 2001.

MOODY, Raymond A. *Life After Life*, Rider, 1975.

MULDOON, Sylvan, et Hareward Carringron. *The Projection of the Astral Body*. Rider, 1929.

O'SULLIVAN, Terry, et Natalia. *Soul Rescuers*, Thorsons, 1999.

PIKE, James A. *The Other Side*, W.H. Allen, 1969.

PLAYFAIR, Guy Lyon. *This House Is Haunted*, Souvenir, 1980.

PROCTER, Roy, et Ann. Healing Sick Houses, Gateway, 2000.

RANDALL, Neville. *Life After Dead*, Corgi, 1980.

WILLIAMSON, Linda. *Contacting the Spirit World*, Piatkus, 1996.

WILLIAMSON, Linda. *Finding the Spirit Within*, Rider, 2001.